科学目線

上から、下から、ナナメから

元村有希子

毎日新聞出版

科学目線

上から、下から、ナナメから

前途は遠い。そして暗い。しかし恐れてはならぬ。
恐れない者の前に道は開ける。行け。勇んで。小さき者よ。
――（有島武郎「小さき者へ」より）

装画　　羅久井ハナ
装幀・本文設計　坂川朱音

目次

1 博士が愛した寄生虫

2 森と薪と人

3 科学の光と闇を生きた学者

4 星空を届ける人

1

博士が愛した寄生虫

物理学者の脳内宇宙

謎に満ちたブラックホールの姿が、ついにとらえられた。

この分野に疎《うと》い友人には「ホールっていっても穴じゃなくて天体なのよ」と説明していたのだが、公表された画像はハニードーナツみたいで、しかも肝心のブラックホールはドーナツの「穴」にあたる黒い部分だという。「やっぱり黒い穴だった!」と小鼻をふくらませる友人に反論できない私。

そう。ブラックホールは宇宙にぽっかりと開いた落とし穴のようなものだと考えた方がいい。そこには途方もない力持ちの怪物が潜んでいて、近くを通りかかったものをことごとく引きずり込んでしまう。光ですら、一度入ったら二度と脱出できない。もとより確かめに行けるほど近くはないし、近くに行けたとしても、戻ってくることはないだろう。知れば知るほど、謎めいた存在なのだ。

ただ、私にとっては穴の中の怪物と同じくらい、観測に挑み続けてきた物理学者たちに興味をそそられる。

ブラックホールの存在を予言したのは、天才アルベルト・アインシュタインである。予言が勘違いだったり、大ぼらだったりする可能性もあるのに、後に続く物理学者たちは「ブラックホールは実在する」と信じて、なんと100年もの間、追いかけてきた。

その間にも「怪物」の存在をうかがわせる有力な観測結果が得られたりはした。犯人を追い

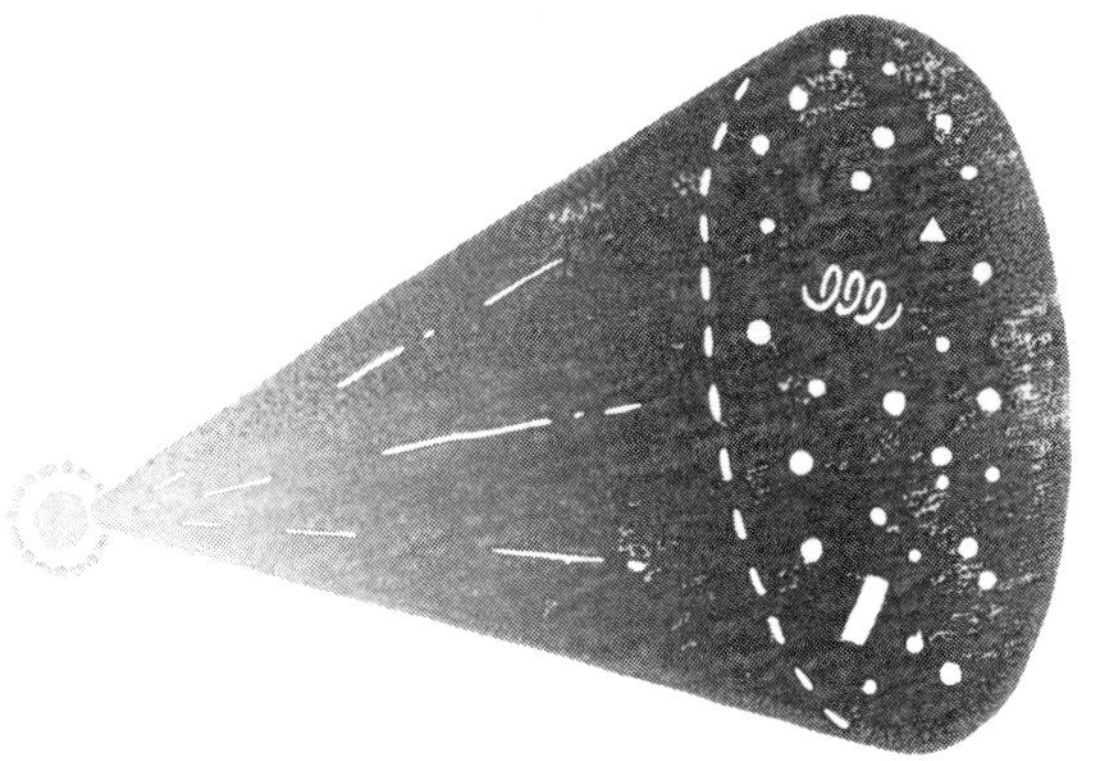

詰める刑事が、そいつの足跡や遺留物や目撃証言を集めるように、証拠をコツコツと積み上げ、外堀を埋めていった。

　しかしこれとて確たるものではない。「ブラックホールが存在しないと仮定すると、この現象は科学的に説明できない。だからブラックホールは存在する」。へ理屈にも聞こえるこんな議論を営々と続けてきたのだ。

　結論を待たずにこの世を去った人もいる。2018年3月、76歳で亡くなったスティーヴン・ホーキング博士はその一人だ。

　博士は生前、ブラックホールが、ある特定の条件下では逆にエネルギーを放出し、やがて蒸発してしまう、という予測を立てた。ブラックホールが存在するとした上で、その最期を占う大胆な仮説。しかも計算によれば、実際に起きるとしても100億年以上先だという。

　我々はもちろん生きていない。まして人類や地球があるかどうかもわからない。そんな遠い遠い未来のできごとを予測して、検証を後輩にゆだねるなんて、そんじょそこらの凡人にできる芸当ではない。

物理学者の頭の中には、ブラックホールより深遠な宇宙が広がっているのではないか。彼らは「目的地未定、期間未定」のミステリーツアーを楽しむ旅人なのだろう。

白衣を脱いで燕尾服を着る日

2019年のノーベル化学賞は、リチウムイオン電池を開発した吉野彰さんに贈られた。スマートフォンやノートパソコン、電気自動車、そして小惑星探査機はやぶさにも搭載され、モバイル文明に欠かせない縁の下の力持ちである。

私に言わせれば、それら文明の利器を生み出した科学者や技術者こそが「縁の下の力持ち」なのである。朝起きて蛇口をひねれば水が出るのも、約束の時間までに目的地にたどり着けるのも彼らのおかげなのだが、私たちは日ごろ意識することはない。

もっとも彼ら自身、そのことを気にしてはいない。彼らの最大のモチベーションは、感謝の言葉より目の前のテーマ。好奇心に突き動かされ夢中で取り組んだ仕事が、やがて社会を変えることが喜びなのだ。世間の注目やご褒美は、あとからついてくるもの。多くの人はそう考えている。

ご褒美の中でも、ノーベル賞は別格といっていい。1901年の創設以来、名だたる科学者

たちがこの栄誉を手にした。

　授賞式は例年、アルフレッド・ノーベルの命日である12月10日にストックホルムで開かれる（平和賞はオスロで）。

　燕尾服やドレスで正装した受賞者たちは、親族や来賓が見守る中、スウェーデン国王からメダルと証書を受け取る。授賞式の後は場所を移して国王主催の晩餐会が深夜まで続く。

　世界中から１３００人ほどしか参加できないこの特別な夜に、私は取材で一度だけ参加したことがある。

　取材者だって最上級のドレスコードを要求される。ロングドレスを着てはいるけれど、パソコンや資料を入れた重いかばんとカメラの大荷物、サマにならないったらありゃしない。それでも、原稿を放り出した後は晩餐会を楽しんだ。

　乾杯は最高級のシャンパン、ドン・ペリニヨン。メニューは、前菜、メイン、デザートの3品だ。

料理と料理の間には、さまざまな出し物や受賞者のスピーチがある。品数こそ少ないが、1300人に一斉にサービスするにはこれが限度だろう。この日のためにはせ参じたシェフたちが腕を振るう。料理を客席へ運ぶのは、公募で選ばれた国民たちだ。

世界の注目を集めるこのイベントは、スウェーデンの国民的行事である。翌朝の現地紙は、直前まで明かされなかった晩餐会のメニューと、その日デビューした王女のドレスの話題で持ちきりだった。

きらびやかな1週間を終え、受賞者たちは国へ帰る。ドンペリもドレスもないけれど、再び刺激的な研究人生が始まるのだ。

ノーマークが怖い

科学記者にとってノーベル賞は、年に一度のお祭りのようなものだ。研究の現場で黙々と働く人々を大いにPRできる好機でもある。

問題は、時差の関係で発表が日本時間の夕方になること。翌日の朝刊に、難解な科学の話題を分かりやすく載せるのは至難の業なのだ。

直木賞やアカデミー賞なら、誰が最終選考に残っているかあらかじめ分かる。ところがノーベル賞は選考過程を外部に漏らさない「厳秘」がお家芸ときている。

何十人分もの予定稿を作って構えるが、ふたを開けてみたらノーマーク、ということが起こりうる。

2002年の化学賞を受けた田中耕一さんがそのケースだった。ノーベル賞のウェブサイトに突然現れた「Koichi Tanaka」の名前。「誰？」「予定稿ないぞ、どこの誰か探せ！」

ほどなくタナカ氏の所属が京都の島津製作所と分かった。とりあえず、「104」で教えてもらった広報課に電話を入れた。

何回か呼び出し音が鳴って出た男性に「御社のタナカコウイチさんがノーベル賞に選ばれました」と告げると、相手は絶句。「……え？　ウチのタナカ？　誰です？」。珍問答の最中に、広報課のすべての電話が鳴り出した。

後で聞いたのだが、この日は島津製作所の「ノー残業デー」だった。職場にいたのは部長だけで、それも帰る間際だったという。

当の田中さんはそのころ、自分の机に直接かかってきた、授賞を告げる国際電話に右往左往。一瞬、誰かが仕掛けた「ドッキリ」ではないかと疑ったそうである。

授賞理由は、たんぱく質のような巨大な分子を壊さずに分析する技術を開発した功績だ。博士でも管理職でもない43歳の技術者が、いきなり世界の表舞台に引っ張り出された。作業服姿での記者会見はもちろん、電車で通勤するなど、その「普通さ」に、多くの人が親しみを覚えた。

一方、さほど騒がれなかったけれど、記者会見で重要な決意表明があった。

「技術を発展させ、医療に役立てたい。会社帰りに薬局に立ち寄って、自分の血液1滴から数百種類の病気の有無をたちどころに診断してもらえる、これが目標です」

当時は「まさかねえ」と思いながら聞いていたが、田中さんは約束通り、少量の血液から認知症やがんを早期診断できる技術を実現させた。

彼らにとって受賞は「通過点」なのだろう。ぶれずに打ち込む姿勢こそノーベル賞に値するというべきか。20年という長い目で眺めれば、そんな気付きもある。

科学者の妻

2023年春に放送されたNHKの連続テレビ小説「らんまん」は、植物学者、牧野富太郎(1862～1957)がモデルだ。

94年の生涯に数十万点の植物標本を集め、1500種類以上の新種を発見して自ら名付けた。近代植物分類学の父、文化功労者の第一回受賞者と聞くだけですごいが、最終学歴は「小学校中退」。定職につかず、ひたすら野外で植物を探し、写生し、名付けることに熱中した。

科学者には、好きなこと以外はおかまいなしという人が多い。周囲の支えなしには、夜も日も明けない。

牧野を支えたのは妻、壽衛《すえ》だった。13人の子をもうけながら、その大黒柱が「草花三昧」で、家計はいつも火の車だった。料理屋を開いて得た稼ぎも、牧野の本代や研究に消えた。

借金から逃れるため、18回も引っ越したことは広く知られる。借金取りが家に来ると、壽衛は赤い旗を玄関先に掲げた。牧野は、それがしまわれるまで外をぶらぶらしていたという逸話も残る。

壽衛が54歳で死んだ時、牧野は仙台で見つけた新種を「スエコザサ」と名付けた。俳句も残している。心から妻を愛し、感謝していたのだろう。

家守りし妻の恵みや我が学び
世の中のあらむかぎりやすゑ子笹

江戸時代、全身麻酔による外科手術を世界で初めて成功させた華岡青洲も、周囲の献身で偉業をなしとげた。危険な人体実験に妻・加恵《かえ》や母・於継《おつぎ》が協力したと伝えられ、有吉佐和子の小説で有名になった。

科学者の妻なんてまっぴら？

ノーベル化学賞を1981年に受けた福井謙一博士の妻、友栄さんから直接聞いた逸話を紹介しよう。終戦直後、見合い相手である福井青年と、冬の京都・鴨川沿いを歩いた時の思い出である。

英国製だというぶかぶかの外套《がいとう》を着て現れたが、歩くうちに裾から裏地が細長くぶら下がってきた。福井青年はそれを何気なくちぎって放つ。布きれは風に乗り、ひらひら飛ぶ。何度か繰り返した末に見せてくれた外套の内側は、わかめのように裂け、「シュールな模様」になっていた。

不器用だが些事《さじ》にこだわらない生き方に、友栄さんは親しみを覚える。結婚を決めたのは、「異質の文化と融合する方が、科学的に見て将来発展する可能性があると思う」という言葉だったという。

「振り返ると、私が惹かれたのは、いつも何物かに心を奪われている人の内面だったような気がする」と、友栄さんはエッセイ集『ひたすら』（講談社）につづっている。

真理を追いかけるこの「静かな情熱」こそ、科学者の魅力なのだ。

古墳を透視する

2020年1月、歴史ファンの胸をわくわくさせるニュースが報じられた。

邪馬台国の女王・卑弥呼の墓との説がある奈良・箸墓《はしはか》古墳の内部を透視する実験が始まったという。

うそみたい？　本当です。

箸墓古墳は天皇・皇族に関わりが深い遺跡であることを理由に、立ち入ることが厳しく禁じられている。たとえ学術目的であっても、墓を暴くような発掘は控えられてきた。でも、目の前に古墳があれば、中がどうなっているのか知りたいのが人情。ならば透視しよう、というわけだ。

「目」の役割を果たすのは、宇宙からやってくるミューオンである。宇宙人？　ゆるキャラ？　いえ、素粒子です。

地球には、目には見えない宇宙線が雨のように降り注いでいる。その一部が、大気と衝突してミューオンに変身する。私が立っている1ｍ四方の地面に、1分間あたり1万個。私の体をすり抜け、床もアスファルトもすり抜け、厚さ1㎞の岩盤さえ通り抜けるという。

痛くもかゆくもないのに本当？　信じられないけど、本当です。

ミューオンの透過力は物質によって異なる。観察したいものを通り抜けてきたミューオンを特殊なフィルムで受け止めれば、あぶり出しのように濃淡が浮かび上がる。そこから内部の構造を推しはかれる。

健康診断でおなじみのレントゲン写真も、同じ仕組みを使っている。Ｘ線の透過力はミューオンほどではないけれど、人体ぐらいなら朝飯前。体に傷をつけずに骨や肺の中の様子を知ることができる。

さて、ミューオン。17年にはエジプトにあるクフ王のピラミッドをミューオンで透視した結果が英科学誌「ネイチャー」に掲載された。中心部に、全長30ｍにも及ぶ未知の空間があることが分かったという。ひょっとして王の棺があるのでは？　想像力がかき立てられる。

日本では、火山を透視して地下のマグマだまりの大きさを推計したり、地震を起こす地下の断層の構造を解明したりする研究が盛んだ。力業で掘り返せば巨額の費用と時間を要するが、ミューオンを使えばその手間も節約できる。実用化が待ち遠しい。

事故を起こした東京電力福島第一原発でも、2号機の原子炉内部をこの技術で透視し、溶け落ちた燃料の様子を把握した。放射線が強くて近づけないだけに、「ミューオンさまさま」になるかどうか。

「人新世」に生きる

人新世。「じんしんせい」「ひとしんせい」などと読む。ノーベル賞を受けたオランダの化学者が提唱した。

核実験で生じた放射性元素や石油を燃やした際に生じるすす、プラスチックなどが地質から検出される時代を指す。言い換えれば「人類が環境を大幅に改変した時代」。

頭では理解できてもピンとこないとすれば、それは影響が、まず小さい部分に表れるからだろう。それは静かに始まり、じわじわと広がる。そして多くの人が気づいた時には、取り返しのつかない事態に立ち至る。

南太平洋に浮かぶサンゴ礁の国・ツバルは、そんな最前線の一つだ。

ツバルの国土面積は九つの島を合わせて26㎢。平均標高は約2mで、「地球温暖化によって最初に沈む国」とも言われる。今でも潮が満ちると、サンゴ質の地面からふつふつと海水が湧き出してくる。

この小国に別の危機が迫っていることを、ドキュメンタリー映画「プラスチックの海」で知った。

ツバルにはごみ処理施設がない。第二次大戦中、米軍が滑走路を造るための建材としてサンゴを掘り出した巨大な穴がごみ捨て場だ。生活ごみからバイク、家電まで、あらゆる廃棄物がここに放り込まれる。

映画では、汚水か海水か分からない水たまりに膝までつかりながら、子どもたちがごみで遊ぶ光景が映し出される。この島に生まれ育った女性の述懐。「昔は美しい国だった。プラスチックが増え、天国は破壊された」

1990年代にツバルを訪ね、海面上昇の影響について調べた前茨城大学長の三村信男さん（地球環境工学）は滞在中、現地政府との協議の場でおやつに缶詰のコンビーフが出されたことを今も覚えている。

78年に独立国となったツバルは当時、自給自足を基本とした生活様式が西欧風に移行する過程にあった。ごく限られた土地で栽培されていたタロイモなどは塩害で収量が減少。食料を輸入に頼った結果、住民はごみ問題と同時に肥満、生活習慣病に悩むようになった。

海面上昇で地下水にも塩分が混じり始め、生活用水は雨水と輸入が頼りだ。現代文明と温暖化が、ツバルの持続可能性を脅かしていた。三村さんはこれを『宇宙船地球号』のミニチュア版」と喩える。

事実、ツバルは地球が直面する事態の縮図そのものだ。限りある資源を使い尽くす一方、自然に返らないプラごみが環境を損ねる。海面上昇は、人口が集中する海沿いの都市を安心して住めない場所に変え、やがて住民は移住を迫られる――。

遠い日本で何ができるだろうと途方に暮れる。温暖化をわが事として受け止めることが、まず最低限の責任だ。

46億年の地球史を、地質の特徴から分類する地質年代でいえば、私たちは新生代第四紀の完新世に生きている。

続く新たな時代を「人新世」と名付けることも必要ではないか。地球の有限性を省みない人類のわがままを、教訓として継承するためにも。

マンモスにならないために

東京・お台場の日本科学未来館で開かれた「マンモス展」に足を運んだ。

会場は親子連れでいっぱいだった。恐竜が好きな子どもは、もれなくマンモスも好きみたい。「マンモスと恐竜はどう違うの?」と子どもに聞かれたお父さんが、少し考えて「マンモスは哺乳類、恐竜は爬虫類」と答えている。大間違いではないけれど、正解とも言えない。鳥みたいな羽毛と翼を持った恐竜の化石だって出ているし、目下、古生物学者たちが論争している。

間違いないのは、マンモスと恐竜は、生きた時代がまったく違うということだろう。

マンモスが繁栄したのは、だいたい500万~150万年前。同じころ、人類も誕生した。つまりわれわれの祖先は、マンモスと一緒に生きていた。

一方、恐竜の最盛期は2億〜1億年前。人類はカゲも形もない。両者が共演できるのは、SF映画の中だけである。

恐竜が歩いていたこの時代は、地質年代では「ジュラ紀」に当たる。

地質年代とは、地球46億年の歴史を、その折々に繁栄した生物（の化石）をもとに分類した年表だ。ジュラ紀は、正確には「顕生代・中生代・ジュラ紀」。ティラノサウルスが絶滅したのは、その後に続く「白亜紀」。そして私たちは「顕生代・新生代・第四紀・完新世」に生きている。ダラダラと長い表記は、住所のようなものと思っていただければいい。「日本・東京都・千代田区・千代田」と書けば皇居と分かる、みたいな。

さて、完新世は約1万年前に始まった。この時代には、氷河期が終わって地球が温暖化した。大量の氷が溶け、海面は100m以上、上昇したという。

この時代の主役はもちろん「人類」だ。人々は文明を築き、文字を発明し、宗教や哲学や科学を生み出した。とりわけ産業革命以降、暮らしは激変した。

医学の発達で、寿命も延びた。1800年に10億人だったとされる地球の人口は、2022年には80億人を超えた。

便利になったのは事実としても、果たして私たちは幸せになったか？　人口がこのまま増えたら、食べ物は足りる？　地球はどうなるの？　そんな不安もわいてくる。

地球の年代は、完新世から「人新世」（アンスロポシーン）に移ったのではないか、という説が、科学者の間で真剣に議論されている。人が地球を大きく変えたと考えられているからだ。カンブリア紀の地質から三葉虫の化石が大量に出土するように、人新世の地質からは、石油を燃やして出たすすや、文明の副産物である、自然界には存在しない化学物質がたくさん掘り出されるのではないか。

振り返ると、地質年代の区切りには、その時代に繁栄した生物の大量絶滅も重なっている。このまま進むか、それとも立ち止まって完新世を生きるか。人類みんなで考えなくてはならない宿題かもしれない。

四次元ポケットの未来

人工知能。英語でＡＩ。この文字を新聞で見ない日はない。それぐらい騒がれている。つまりブームだ。

ブームだから、注目が集まる。人とカネが集まる。技術そのものも進歩する。20世紀には2度のブームがあったが、失望とともにしぼんだ。研究者たちは「これをブームに終わらせてはいけない」と奮闘してきた。

今回のブームは「本物かもしれない」と多くの人が感じている。コンピューターの計算能力が格段に進化したことや、いろんなモノが、パソコンを介さずつながり合う「ＩｏＴ」が普及したこと、さらに、「５Ｇ」と呼ばれる、大量の情報を格段に速くやりとりできる通信技術も、ブームを手堅く支えている。

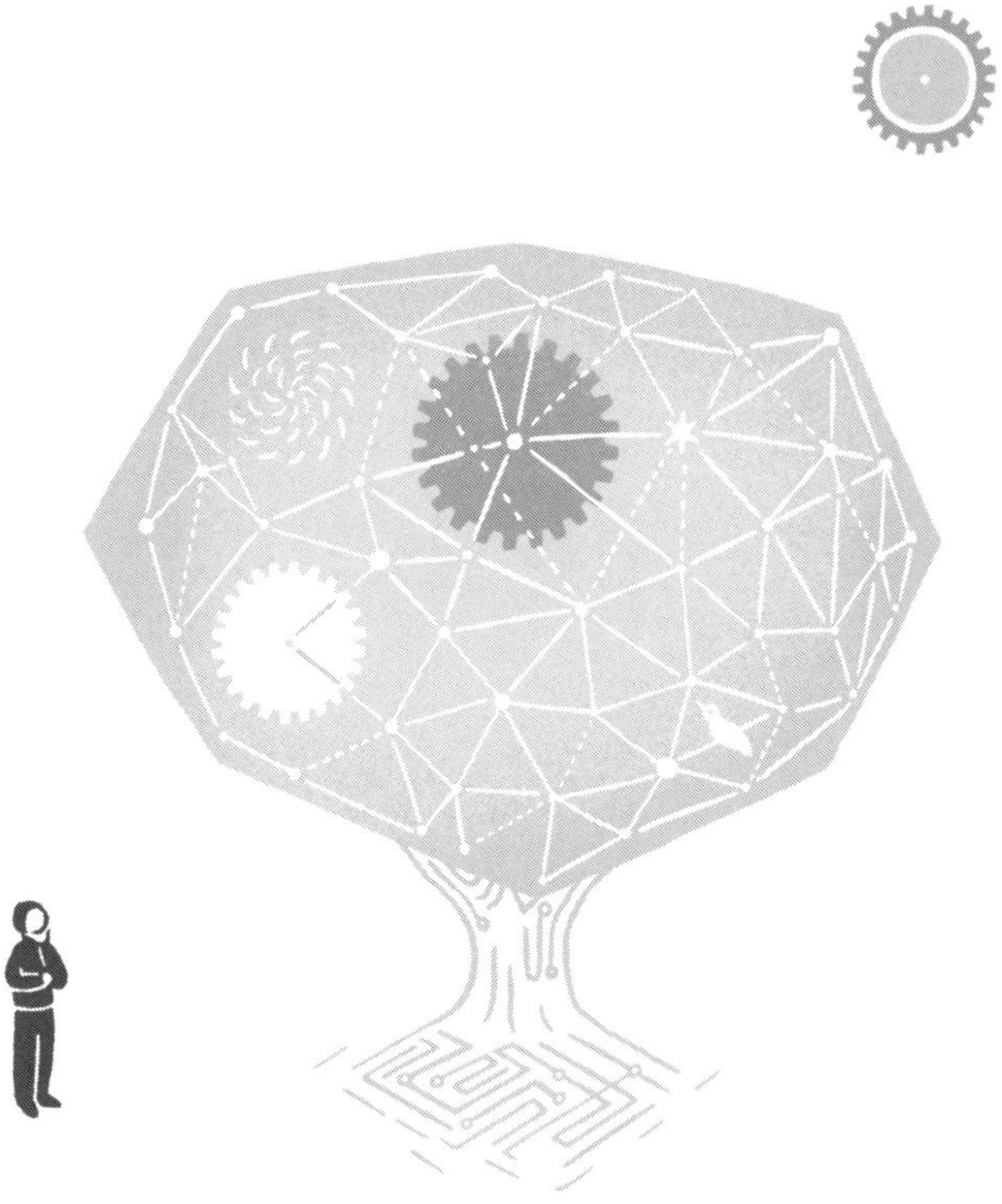

舞台は整った。役者もそろった。さて、どんなステージが始まるのだろう。

ＡＩや、ＡＩ搭載のロボットが仕事を奪う、との予測がある。企業の受付や小売店のレジ、公共施設の清掃、コールセンターなどには既にＡＩが進出している。

大量の画像からわずかな病変を見つけたり、膨大なマーケット情報を踏まえて最適な投資先とタイミングを見つけたりすることも得意だ。

こうなると、ホワイトカラーも安穏としていられない。アメリカの証券会社では、ＡＩによる取引を導入した結果、６０００人いたトレーダーが2人になったという。

「だから」と、ある専門家は言う。ＡＩ研究では先端を行く大学に在籍していた人物だ。

ＡＩが本当の意味で社会に溶け込むには、社会が喜んで受け入れる「接点」が必要だ。その意味で一目置かれているのが、あの「ドラえもん」だという。

ドラえもんは人の心を理解するロボットである。ＡＩの、一つの到達点と言っていい。だが、決してのび太を甘やかさない。ギリギリのところで「しょうがないなあ」などと言いつつ、四次元ポケットからいろんなものを取り出す。ドジなのび太は使い方を間違えて失敗したりするが、ドラえもんは先回りして手伝ってやったりはしない。

未来からやってきた、というのもミソだ。のび太の孫の孫が心配して派遣したのだ。だから、いい感じにカスタマイズされている。

のび太に象徴される「気まぐれで不完全な存在＝人間」を絶妙な距離感で見守り、支え、成長を助けてくれる優秀な右腕。そんなＡＩだったら、誰もが一緒に暮らしたいと思うだろう。

ドラえもんは2112年9月3日生まれだそうだ。リアルな時間軸なら、あと88年かかる。私たちの社会が徐々にAIを受け入れ、思考を巡らせ、いいAIを開発する。そんな前向きな未来を描きたいものだ。

家事ロボットは可能か

バラバラになった保存容器とふたを正しく組み合わせる「タッパー神経衰弱」。洗濯物が乾くよう、ハンガーの間隔に気を配る「間隔感覚」。暮らしの中の「名もなき家事」をユーモラスに命名した本（『やってもやっても終わらない名もなき家事に名前をつけたらその多さに驚いた。』サンマーク出版）が話題になった。著者はコピーライターの梅田悟司さん。育児休業中、へとへとになった経験がきっかけという。

家事労働を減らす。家電はこれを目標に進歩してきた。事実、負担は減ったが、すべての家事から解放されたわけではない。洗濯・乾燥は機械にお任せできても、家族が脱ぎ散らかした衣類を集め、色物と白物を分け、部分洗いをし、乾いたら畳み、片方しかない靴下の相方を捜すのは、今も人間の仕事だ。

「ロボットが洗濯物を畳んでくれる日は来ますか」。先日参加した人工知能（AI）に関するシンポジウムでも質問が出た。ロボットクリエーターの高橋智隆さんは「住んでいる部屋ぐらいの大きさで、モタモタしながら畳むロボットなら、カネを惜しまなければできなくはありません」と答えた。

人間にとってシャツとパンツを見分けるのはさもないが、ＡＩには難しい。区別できても、畳むという繊細で複雑な作業は至難の業。実際に開発に挑んだベンチャー企業は、技術とコストの両立に苦しみ、経営破綻した。

仕事を奪われる、支配されるといったＡＩ脅威論も、こと家事に関しては先のことのようだ。洗濯物畳みロボットを待つ間に、「名もなき家事」がどれほど多いか、どう分担できるかを家族で話し合う方が賢明だろう。

高橋さんは「家事労働は複雑な割に安く見積もられがちなのも、開発が進まない一因」とも言う。終わりのない家事を担う人の気配りと気苦労の尊さを思う。

ウイルス、その賢すぎる〝下宿人〟

『大家さんと僕』（矢部太郎　新潮社）という漫画エッセイが２０１９年、ベストセラーになった。お笑い芸人と、下宿先の大家さんとの心あたたまる交流を描いている。家族でも恋人でもない、一つ屋根の下に暮らす他人同士の絶妙な距離感が「ほっこりする」と人気を呼んだ。

このところ世界を騒がせているウイルスも、実はそんな存在である。

ウイルスは、生き物に寄生している。植物、ヒト、動物、はては細菌にも寄生する。『大家さん

と僕』に喩えるなら、ヒトや動物が大家さんで、ウイルスが僕。とはいえ、すまいも食事も一方的に宿主に頼る点で、下宿人より居候《いそうろう》に近い。

生き物の体内に勝手に上がり込み、細胞が増えていく仕組みに便乗して仲間を増やす。そうやって勢力を拡大し、時には宿主を乗っ取る。宿主が死ぬと分かれば別の宿主に飛び移り、しぶとく生き延びる。これがウイルスだ。

医学の歴史の中では、大切な家族や家畜を困らせる謎の病原体として、その正体が研究されてきた。

ウイルスを「発見」したのは、フランスのルイ・パスツールである。特定したわけではない。狂犬病を研究する過程で、細菌ではなく、光学顕微鏡でも見えないほど小さい「何か」が原因と考え、これをウイルスと呼んだ。19世紀末のことだ。

以来100年あまりの間に、ウイルスに関する理解は急速に進んだ。20世紀に電子顕微鏡が発明され、ウイルスそのものを観察できるようになったこと、そしてウイルスのＤＮＡやＲＮＡを解読できる技術が発明されたことが大きい。

結果、その性質や多様さ、加えて意外な側面も見えてきた。たとえば、細菌に善玉菌と悪玉菌があるように、ウイルスにも「善玉ウイルス」がいるという。

妊娠中の女性は、他人（夫）の遺伝子を半分受け継いだ胎児という異物を10カ月、胎内で育てる。普通なら免疫が働いて排除しようとするが、そうならないのは、妊娠とともに作られる特殊な膜のおかげであり、なんとその膜は、大昔にヒトに乗り移ったウイルス由来であることが分かった。

居候どころか、人類の繁栄をしっかりと支えてくれているのである。

ウイルスの生命史は30億年前にさかのぼるという。互いに邪魔せず時に助け合う距離感が保てる限り、ウイルスに学ぶものは大きい。

ただ、宿主に合わせて姿を変え、種から種へと飛び移り、飛行機や船に乗って旅までする知恵は時に困りものだ。ぜひ、うまく付き合う方法を解明してもらいたい。

本物か偽物か、それが問題だ

１９６６年のアメリカ映画「おしゃれ泥棒」は、ちょっとドジな探偵とお嬢様がパリの美術館に忍び込み、チェッリーニ作のヴィーナス像を盗み出す顛末《てんまつ》を描くラブコメディーだ。

オードリー・ヘプバーン演じるニコルがかわいくて何度も見てしまう。私のお気に入りは、ホテルリッツのバーで探偵に計画を持ちかける場面である。

人目をしのんで黒ずくめのいでたちで登場するのだが、ジバンシィのデザインによる総レースのドレスが似合いすぎて、誰よりも目立っている。コケティッシュで、ため息が出る。

さて、ニコルの父親は著名な美術品蒐集《しゅうしゅう》家《か》として財をなしたが、正体は名画の贋作《がんさく》を手がける画家である。

ある日、父親が美術館に貸し出した偽物のヴィーナス像が科学鑑定にかけられることを知ったニコルは、正体がばれることを恐れ、窮余の策として冒頭の一計を案じる。

原題は「１００万ドルの盗み方」。盗み出した偽物を１００万ドルの高値で売るというあっぱれな結末がその由来だ。たとえ偽物でも、だましおおせれば法外な値段で取引されるという、アートの世界への皮肉も効いている。

さて本題。ツイッター社（現・X）の共同創業者、ジャック・ドーシー氏が２００６年3月21日に投稿した「世界初のツイート」に、２９１万ドル（3億２０００万円・当時）の値がついた。その10日前には、デジタルアート作品「最初の５０００日」が６９００万ドルで競り落とされた。どちらもネット上にのみ存在することが共通項だ。

こうしたデジタル資産は「非代替性トークン」と呼ばれる。Non-Fungible Tokenの頭文字を取って「ＮＦＴ」とも。17年ごろに登場し、21年に入って爆発的なブームになった。

過熱の背景はいくつかある。

一つは、その名の通り「代わりが利かない、唯一無二」の価値に注目が集まっていることだ。デジタル作品は本来、無限にコピーできる。ただＮＦＴはブロックチェーンで管理・取引することで、唯一無二の価値が守られる。

ブロックチェーンは仮想通貨の取引にも使われている。ネット上で多数の人々が共同管理しており、悪事を働けば、可視化される。

「初めてのツイート」をここで登録することによって、世界に一つしかない価値が保障される。それを「所有」したがる人が増えれば当然、高い値がつく。

ダ・ヴィンチの「モナリザ」は唯一無二の名画だが、無数の複製や贋作が出回り、売る方も買う方もそれを承知だ。だまされて贋作をつかまされるなんて話が珍しくないアートの世界より、ＮＦＴの方が信用できるかもしれない。

もう一つの背景はコロナ禍だ。冷え込んだ景気を刺激しようと各国がお金を市場につぎ込んだ。その恩恵を受けた一部の富裕層が、新たな投資先としてＮＦＴを選んでいるという。

危機便乗のあだ花か。それとも有史以来の芸術の価値を根本から変える発明になるのか。目が離せない。

何用あって宇宙旅行へ？

ひとは2種類に分けられる。例えば、宇宙が好きな人と、そうでない人。

宇宙開発の話題に目を輝かせる人がいる一方で、「宇宙のロマンもいいけど、いったい何が楽しいの？」と冷淡な人がいる。

全世界が息を呑《の》んで衛星中継に見入った——と伝えられる１９６９年7月のアポロ11号月面着陸にも、冷ややかな声はあった。「何用あって月世界へ？——月はながめるものである」と皮肉ったのは、コラムニストの山本夏彦である。

アポロ計画は、世界で初めて有人宇宙飛行を実現させた旧ソ連への対抗心から、ケネディ米大統領が打ち上げた。国威発揚、そして支持率アップという政治的野心もあっただろう。巨額の税金がつぎ込まれる一方で、貧困や人種差別は放置された。批判が起きたのは当然だ。

では、そのお金が個人の資金だったらどうだろう。

２０２１年夏、米国のベンチャー企業が相次いで「宇宙旅行」を成功させた。

ヴァージン・ギャラクティック社は、6人乗りの宇宙船をジェット機に結合させ、上空でロケットエンジンに点火し、「宇宙の入り口」とされる85㎞上空に達した。全行程1時間あまりの旅だ。

その10日後には「アマゾン」創業者のジェフ・ベゾス氏率いるブルーオリジン社が宇宙へ挑んだ。こちらは乗客が乗ったカプセルをロケットで打ち上げる方式。3分で高度100㎞に到達し、10分後にパラシュートで軟着陸した。

どちらも、無重力体験と壮大な眺めが売り物だ。漆黒の宇宙の闇と真っ青な地球。地球の丸さも実感できる。

「子どもの頃からこの瞬間を夢見ていた」とは、自ら乗り組んだヴァージン・グループ代表、リチャード・ブランソン氏の言葉だ。経営者として大成功を収め、宇宙への夢をかなえた。

「何用あって」の問いへの答えは、ここにあるかもしれない。月面着陸に胸をときめかせた少年が、半世紀後に「だれでも宇宙へ行ける時代」の扉を開いたのだから。

そもそも今回の成功の背後には、アポロ計画を経験した米航空宇宙局(NASA)のベテラン技術者たちの貢献がある。

ネックは高額すぎる費用だが、世界中のお金持ちが気前よく投資してくれれば、技術が磨かれ、価格も下がっていくと言われている。

あと20年もたてば、旅行サイトには「宇宙」のコーナーができているはずだ。

「月面滞在5泊6日、オプションで丸い地球を眺めながらゴルフも楽しめます」なんて時代が……来るかな？

テクノロジーで広がる世界

不可能とは、可能性だ。

この言葉を残したのは、プロボクサーのモハメド・アリ。ヘビー級世界王者であり金メダリスト。黒人として人種差別に抗議し、晩年は難病と闘った。

東京オリンピック・パラリンピックでも、限界に挑み不可能を可能にした人々の姿に心を動かされた。

その一人が、パラ閉会式に登場したＰＯＮＥ（ギエム・ガラー）さん。ヒップホップユニット「Fonky Family」のプロデューサーだ。フランスの自宅のベッドから、指一本動かさずに楽曲をライブで披露した。

２０１５年、全身の筋肉が衰えるＡＬＳ（筋萎縮性側索硬化症）と診断された。できることが日に日に減っていく進行性の難病。過酷な現実と向き合った末、彼は「復活」を果たす。

活動を支えるのは、指の代わりに視線でコンピューターを操る技術だ。キーボードを使って文字を入力し、人工音声に変換して話すこともできる。作曲や演奏だって可能だ。

たとえ人工呼吸器につながれて寝たきりになっても、世界とつながれることを世界に示した。「何だってできる」とＰＯＮＥさんはインタビューに答えている。「彼はむしろ、前より強くなった」と妻は振り返った。

程度の差こそあれ、私たちは日常の不便をテクノロジーによって解消しながら生きている。視力が落ちれば眼鏡、聴力が衰えれば補聴器、義歯や杖。金属製の人工関節で運動機能を取り戻し、心臓や肺、肝臓など生存に欠かせない臓器が深刻な病に侵されても、移植手術によって生きながらえることが可能になった。

パラリンピックでは、戦争や事故で失った脚に義足を装着し、健常者に迫る記録をたたき出す選手たちがいた。まさに「不可能は可能性」であることを、身をもって示した。

テクノロジーが進歩し続けた先には、どんな世界があるのだろう。

体の不具合や不便をさまざまに補い、さらに能力を拡張する営みを重ねていけば、健康な生身の人間が「最も不器用な」存在になるかもしれない。

脳科学と工学を融合させた先端技術「ブレーン・マシン・インターフェース」を使えば、脳とコンピューターを同期させ、念じるだけで装置を動かせる。自室から分身ロボットを操作し、火星を散歩することも不可能ではない。

装具を身体に埋め込む。受精卵にゲノム編集を加えて特定の形質を付与し、生まれつき優れた能力を持った赤ちゃんをデザインする。そんなＳＦの世界は案外近い。

人類の可能性をテクノロジーで拡張していく挑戦と並行して、どこまでそれに委ねるのかも考え始める必要がありそうだ。

それは「人間とは何か」を再定義することにもつながる。

分からないから面白い

1980年代、国民的人気を博したドラマ「北の国から」に、UFOが登場する。主人公の純と螢が通う小学校の女教師が、実はUFOでやってきた宇宙人だった、という想定である。

このドラマは北海道・富良野の自然の中で生き抜く家族の物語だ。原作・脚本を担当した倉本聰氏は、撮影を現地ロケで行い、ドラマと実際の時間軸をそろえるなど、リアリティにこだわった。その点、UFOの回だけは異色で、最初に見たときは「?」だった。

考えてみると、倉本氏は、謙虚さを忘れた人間と文明へのアンチテーゼとしてUFOを使ったのだと思う。「あなたたち、科学技術ですべての謎が解決できるなんて、思い上がってはいけませんよ」というメッセージだ。

2020年4月、米国防総省が、空を猛スピードで移動する物体を撮影した3本の映像を公開した。数年前に流出して作り物かどうかが話題になったもので、「(偽物という)誤解を解くため」公開したという。

動画を見てみる。なるほど、確かに「何か」が映っている。それを見守るパイロットの肉声も興奮気味だ。

そもそも、特定できない飛行物体全般をUFO(Unidentified Flying Objects)と呼ぶのだが、世間ではこれが「空飛ぶ円盤=宇宙人の乗り物」と意訳され、定着している。

ＵＦＯを見た、ペットがＵＦＯにさらわれた、ＵＦＯの証拠を政府が隠している。こんな言説は古今東西、絶えることがない。

科学はすごい勢いで謎を解き明かしてきたけれど、限界もある。ＵＦＯはそこをうまく突いて私たちの好奇心をくすぐる。無限に広がる宇宙が舞台になるのも当然だろう。

高度な文明を持つ地球外知的生命を探し続けている科学者もいる。彼らからのシグナルを巨大なパラボラアンテナで受信するＳＥＴＩ（Search for Extra Terrestrial Intelligence）というプロジェクトが代表的だ。

生命が存在する地球のような条件を備えた天体を探す研究も盛んで、既に３５００を超える候補が太陽系外で見つかっているという。

ＵＦＯの正体を特定する日が来るか。それは誰にも分からないが、大事なことは「その後」だ。人間同士ですら仲良くできないのに、地球外からの客と向き合い、もてなせるのか。

もしも巷《ちまた》で取り沙汰されるＵＦＯが本物ならば、それを操る彼らはとても紳士的な存在ということになる。私たちを驚かせ、楽しませ、黙って去るのだから。

６月24日は、米国でＵＦＯが初確認されたことにちなんだ「ＵＦＯの日」。ひととき、空を眺めてみようか。

生きるか死ぬか

子ども の頃、海水浴が怖かった。溺れることが怖かったのではない。海面下の「見えない世界」におびえていた。

浮き輪をつけて泳いでいる私の様子を、海底から知らない生き物がじっと見つめているのではないか。そう考えると、つま先がきゅっと縮こまるような、心細い気持ちになったものだ。

科学によって、海の中の世界が少しずつ解明されている。浅い海、深海、海底、さらにその下へ。

海底の地下深く、1億年以上前の地層に微生物が生き続けていることを、海洋研究開発機構のチームが突き止めた。

場所は南太平洋。プランクトンが少なく、透明度の高い海域だ。水深5000mという深い海の底にドリルを突き刺し、垂直方向に掘削して「コア」と呼ばれる試料を採取した。下に行くほど古い時代の地層というわけだ。

プランクトンの排泄物や死骸が長い時間をかけて堆積した地質は一見、死の世界である。研究チームは、その断片をガラス瓶に入れ、栄養分を含む水をしみこませ、少しだけ酸素を入れて観察した。

すると、地質中の微生物が増殖を始めたという。

1億年前の地層に、化石ではない生命体がいた。それだけでも十分驚くが、酸素や栄養を得て、生命活動を再開したという。

彼らはどうやって命をつないでいたのだろう？　「死なない程度に生きていた」とすれば、とんでもなく長寿なのか。あるいは休眠状態でいたのか。次から次へと謎が浮かんでくる。

地表の7割を占める海。その底には「海底下生命圏」が存在し、地球全体の生きものを構成する炭素の約1％に当たる生命体がいると試算されているそうだ。

幼いころ、私が恐れていた「知らない生きもの」は、やはりいた。しかも、途方もないサバイバル能力を持っているらしいのだ。

こうしたサバイバル能力は、哺乳類や鳥類の一部にもある。「冬眠」である。シマリスやヤマネは冬眠中、体温が外気温と同じぐらいまで下がり、呼吸数も激減する。「生きるか死ぬか」の状態で、厳しい季節を生き延びる。

そのメカニズムは長いこと謎だったが、マウスの神経を操作して冬眠に近い状態を作り出すことに、筑波大学のチームが成功している。「冬眠スイッチ」が見つかれば、いずれ人間も冬眠が可能になるかもしれない。

宇宙船で冬眠しながら天王星に向かう、なんてSFチックな未来。待ち遠しいような、怖いような。

猫にマタタビ

「猫の額」は狭い場所。「猫の目」は、くるくる変わる様子。猫舌、猫なで声、猫をかぶる、借りてきた猫……。猫が登場する慣用句を聞かれれば、10や20はすぐに出てくる。それだけ身近な、猫のお話。

古今東西、猫と人は強い絆で結ばれてきた。

古代エジプトでは神の化身とされた。猫のミイラも残されている。日本で平安時代に著された『枕草子』には、時の天皇が寵愛した「命婦《みょうぶ》のおとど」という名の猫が登場する。宮中で翁丸《おきなまろ》という犬がちょっかいを出したことからひどいお仕置きにあい、「おとど」専属の乳母は不始末の責任を問われて謹慎処分になったとある。

さて、猫にマタタビ、といえば「大好きなもの、効果がてきめんに現れること」を意味する。マタタビの葉を見ると猫が身もだえして喜ぶ様子から、このことわざが生まれた。

岩手大学や名古屋大学の研究チームが、この「マタタビ反応」を科学的に解明した。鍵を握るのは、マタタビに含まれる「ネペタラクトール」という物質だ。これには、蚊を寄せ付けない効果がある。猫はネペタラクトールを顔や体毛にこすりつけることによって、さまざまな伝染病を運ぶ蚊に刺されることを防いでいるのではないか――。チームは仮説を立て、実験で確かめた。

さらに調べると、ネペタラクトールに触れた猫の血液には、多幸感をもたらしたり痛みを抑えたりする物質が増えていた。猫はマタタビに接することで幸せになり、しかもそれが病気を防いでくれるという一石二鳥の存在だったのである。

ジャガーやヒョウといったネコ科の大型動物でも試したところ、やはり同じ反応を示したという。

両者は共通の祖先から1000万年前に分かれ、それぞれに進化したと考えられている。猫とマタタビとの深い関係は、1000万年以上前からあったと考えてよさそうだ。

「猫のマタタビ踊り」として江戸時代から知られていた現象が、ようやく解き明かされた。さらにネペタラクトールは今後、蚊除け薬や痛みのコントロールに応用できる可能性もある。

自然界にはまだまだ多くの謎がある。好奇心と科学の力を使ってその一つを解いた研究者たちは、さらなる研究で今ごろ、「猫の手も借りたい」ほど忙しいはずだ。

もう一人のご先祖さま

私たちのご先祖さまは、サルである。

およそ600万年前、チンパンジーと共通の祖先から分かれ、200万年前には直立歩行を始めた。ホモ・サピエンスは20万年前に現れた。

神様が人間を作ったのだと信じている人にとっては納得いかないかもしれない。でもチンパンジーのゲノム（全遺伝情報＝生命の設計図）は、私たちと99％一致している。共通の祖先を持つ

「進化の隣人」と考えるのが自然だろう。

科学は日進月歩だ。ゲノムを精密に調べることで、進化の過程を推理できるようになった。とりわけ、DNAが外界の影響を受けたり、コピーミスしたりした痕跡が手がかりになる。

「新型コロナ感染症の重症化はネアンデルタール人の遺伝か?」

2020年はこんな説が世間を驚かせた。重症患者の遺伝的な共通点を調べたところ、3番染色体に特徴的な塩基配列がみられた。驚くことに、5万年前のものと考えられるネアンデルタール人の骨からも、同じ特徴が見つかったという。

ネアンデルタール人は、ホモ・サピエンスより原始的な「旧人」だ。人類史に現れるのはおよそ30万年前。欧州から中東にかけて分布し、4万年前に絶滅したと考えられている。

ただ、彼らは絶滅前に、ホモ・サピエンスと交雑していた。これもゲノムから分かったことだ。個人差はあるが、私たちのゲノムの1~5%はネアンデルタール人からもらったものだという。旧人と新人は、どこでどんなふうに出会ったのだろう。お互い、驚いただろうか。争いは起きなかったのか。

私たちはいま、ネアンデルタール人を「再発見」しつつある。

その暮らしぶりは、「原始的」というイメージとは少し異なる。火を使い、仲間と協力して狩りをした。簡単な言語でコミュニケーションし、埋葬の習慣もあった。抽象的な概念を壁画に残すなど、芸術を理解したとも言われている。

まして私たちはその血を受け継いでいる。なんだか親近感が湧く。「ホモ・サピエンスとネアンデルタール人はいかにして恋に落ちたか？」という妄想もふくらんでいく。

骨格から描き起こしたネアンデルタール人の想像図は、小柄だががっしりした体格だ。10万年前、アフリカから欧州に渡ったホモ・サピエンスの女性が、ネアンデルタール人の男性と出会い、恋に落ち、子どもを授かる――。でも、どのように？

なかなか完成しないジグソーパズルのようだが、「考えるヒト＝ホモ・サピエンス」がいつか解明してくれると信じている。

意外な出会い　意外なおいしさ

チーズが好きで、よく食べる。普通の食べ方に飽き足らず、意外な組み合わせに挑戦するのも楽しい。最近のお気に入りは「いぶりがっことクリームチーズ」である。干し柿とクリームチーズも合う。

りんごをプロセスチーズと一緒に食べるのは、幼い頃からの習慣だ。どの家庭も同じだと信じていたけれど、そうではないようだ。

こちらも意外な組み合わせか。ソニーとホンダが、電気自動車（EV）の開発で手を組むことになった。合弁会社を設立し、3年後の新車発売を目指すという。日本を代表する自動車と電機の2大ブランドのタッグに興味津々。

意外といっても、両社には共通点が多い。創業者がエンジニアであること。町工場からグロ

ーバル企業に成長したこと。独創性へのこだわりや、挑戦を尊ぶ社風も似通う。

ソニー創業者の井《い》深《ぶか》大《まさる》さんは、ホンダ創業者の本田宗一郎さんを「おあにいさん」と慕ったそうだ。本田さんも井深さんの思想に共鳴するところ大で、ソニーが手がけたベータ方式のビデオがＶＨＳ方式に敗れた後も、本田さんはソニー製を使い続けた——という逸話は有名だ。

自動車業界はいま、最大の変革期にある。ガソリンを使わないＥＶの台頭は、その象徴だ。エンジンはもちろん、自動運転技術でハンドルすら不要になる時代も遠くない。

そんな中、「ホンダのＤＮＡ」をいったん脇へ置いて車の価値を問い直すというタフな作業に、異業種と一緒に取り組むことをホンダは決めた。

自動車が「走る家電」化していく中、ＥＶへの参入を模索していたソニーにとっても、協業は渡りに船だった。

ものづくりですっかり元気をなくした日本から、世界を驚かせる「果実」が生まれるだろうか。

こうした異分野の組み合わせはこれまでも科学技術の発展

を支えてきた。私たちが日々お世話になっているコンピューターは「ノイマン型」と呼ばれる。名前の主である数学者ジョン・フォン・ノイマンは、性能のいい計算機の実現に、数学者だけでは手に余ると考えていた。

当時構想されていた装置は、特定の計算をこなすことはできるが、別の計算となれば配線を一からやり直すなど、面倒極まりないものだった。

そこでノイマンは工学者のジュリアン・ビゲローと手を組んだ。市販されている真空管を使いこなす方法を見極め、1951年にマシンが完成。汎用性が高く、使いやすいことから急激に普及した。

意外な組み合わせが意外なおいしさをもたらすという好例だろう。

博士が愛した寄生虫

風変わりで、際限なく魅力的——。実業家のビル・ゲイツ氏が、こう称賛した私設の博物館が東京都目黒区にある。

「目黒寄生虫館」。40坪ほどの展示スペースに国内外の寄生虫標本が並ぶ。日本人男性の腸内で8・8mに成長したサナダムシ、精巧に再現されたシラミの拡大模型など、ユニークな姿かたちに圧倒される。

私が東京で暮らし始めた25年前、最初に訪ねた博物館がここだった。怖いもの見たさでやっ

てきたのに、帰る時には親近感がわいていた。若者、カップル、高齢者、外国人旅行者など、来館者の顔ぶれは多様だ。途上国の公衆衛生支援に取り組むゲイツ氏も来日した折、多忙な日程を縫って立ち寄ったという。

所蔵標本6万点超、世界有数のコレクションを誇るこの博物館は、亀谷《かめがい》了《さとる》博士（1909〜2002年）が私財を投じて設立した。

町医者として生計を立てながら構想を温め、診療所の向かいの木造民家に「目黒寄生蟲館」の看板を掲げたのは1953年。展示品わずか数点での出発だった。

人類と寄生虫のつきあいは長い。古代エジプトのミイラからは住血吸虫が見つかっている。日本でも、平安時代に編まれた日本最古の医学書『医心方』に、9種類の寄生虫とその駆除方法が記される。

本来、寄生した相手に害を及ぼさない穏やかな生き物だが、別の動物を最終宿主とする寄生虫が誤って人体に迷い込むと、やっかいだ。アフリカなどの途上国では、３大感染症のマラリアに加え、河川盲目症、リンパ系フィラリア症など、寄生虫由来の病気が今も人々の健康を脅かしている。

そうした寄生虫の生態を広く知ってもらうことで、日本の衛生環境を向上させたいと、亀谷博士は考えていた。

患者から駆除した寄生虫に加え、剝製《はくせい》業者から動物の内臓を譲り受けて解剖し、標本を増やしていった。「とにかく、全ての情熱、金銭を寄生虫館のために捧げていた」と自伝で振り返っている。

今も研究員が常駐して研究成果を発信する。「教育や啓発で稼いではならない」と、入館料は無料だ。

実のところ、博士は個性あふれる寄生虫の世界に魅せられていた。サナダムシは体の節ごとに生殖器を持ち、1日に数㎝ずつ成長していく。フタゴムシは2匹の幼虫が合体し、1個の成虫のように生きる。長く解かれなかった多くの謎を解明することに、博士は人生を懸けた。

現在の事務長、亀谷誓一さんは、博士の孫に当たる。「猛烈に情熱的な人だった」と振り返る。

例えば、5歳の春に贈られたのは、おもちゃでも絵本でもなく、小さな畑だった。

「こどもはたけのおしらせ」と題した手紙には、こう書かれている。「(種は)じぶんでまくことです。……どうかすこしでもいのちをそだてるたのしみをあじわってください　めぐろのおぢいちゃん」

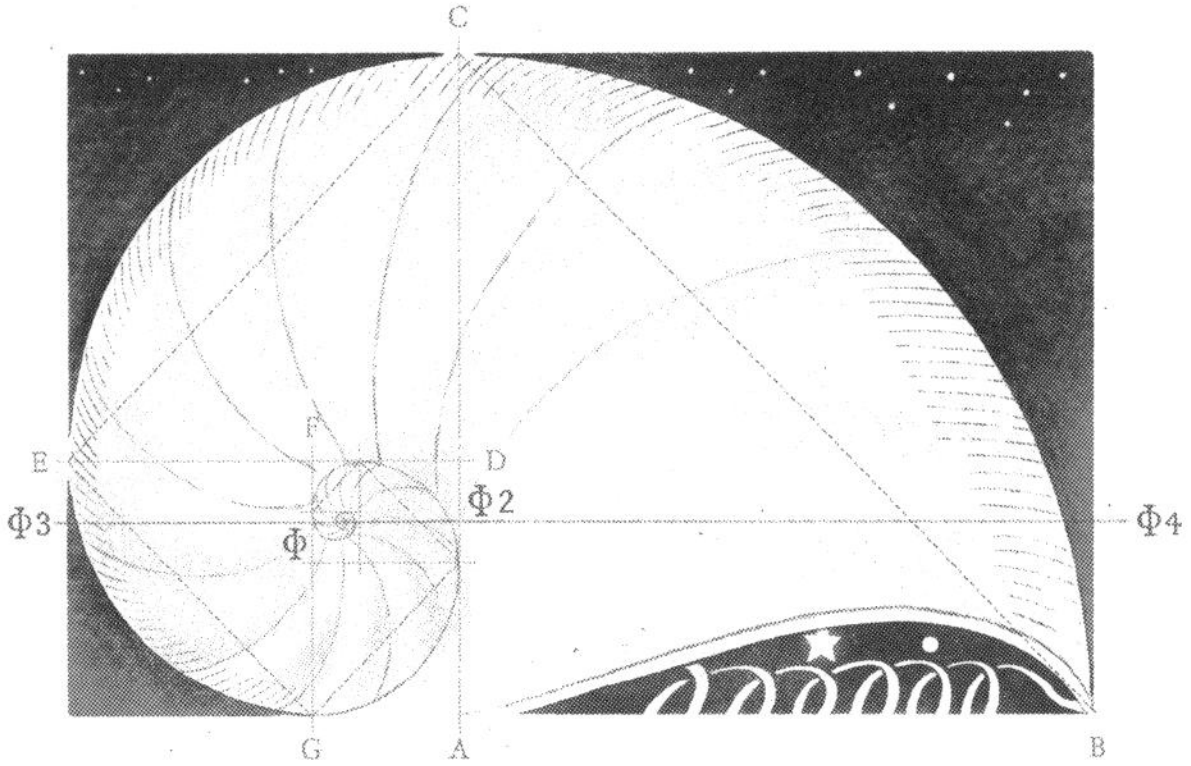

小さな命に心を寄せることで、自然への理解や「科学する心」をはぐくんでほしいとの願いがにじんでいる。寄生虫館に日参し、夢中で顕微鏡をのぞいていた子どもたちの中には、研究者になった人もいる。

自伝は「もう一度生まれ変わっても、僕はきっと寄生虫とつきあっていくだろう」との決意で結ばれている。

志は引き継がれ、寄生虫館は２０２３年、70周年を迎えた。

自然に目をこらせば数学が

誰もが「そんなものだ」と気にも留めない現象に目をつけ、クイズを自ら作って解いてしまうのが、研究者という生き物である。

例えば昆虫の眼は、小さなレンズ「個眼」が集まってできている。その個眼が六角形だったり四角形だったりする理由を、金沢大学や北海道大学の研究者たちが突き止めた。

謎を解くカギは「ボロノイ分割」。

ロシアの数学者ゲオルギ・ボロノイにちなんで名付けられた考え方だ。平面上にランダムに置かれた複数の点について、「どの点が最短距離か」を重視して領域に分割する際に用いられる。

小学校区をボロノイ分割で決めれば、校区内の子どもたちは、自宅から一番近い学校に通えることになる。

金沢大学チームによると、個眼が成長する過程でせめぎあいながら一定の形に決まっていく様子を、この考え方でうまく説明できたという。

生命の不思議を数学でひもとくなんて、魅力的ではないか。

大阪大学の近藤滋教授は1995年、熱帯魚の模様をめぐる謎を、やはり数学の原理を使って解明した。

「同じ種類の熱帯魚でも模様が微妙に違うのはなぜだろう?」という疑問を抱いた近藤さんは、イギリスの数学者アラン・チューリングが50年代に提唱した「生物の模様は波によってつくられる」という仮説に目を付けた。

忘れ去られていたチューリングの論文に沿って、コンピューターで縞模様の変化を予測した。ペットショップで買ってきた熱帯魚を飼育しながら見守った。

すると、予測した通りに縞模様が変化したという。「現実なのか念力なのか、時々分からなくなるほどわくわくしました」と近藤さんは振り返る。

「自然の書物は数学の言語で書かれている」と言ったのはガリレオ・ガリレイである。その言葉をなぞるように研究者たちは自然を注意深く見つめ、そこにある法則や真理を見いだそうとする。

最後にもう一つ、自然界に潜む数学の魔法を紹介しよう。

1, 1, 2, 3, 5, 8, 13, 21, 34……。左隣と自身の数字の和が右の数字になるという「フィボナッチ数列」。イタリアの数学者レオナルド・フィボナッチが、ウサギのつがいが家族を増やしていく思考実験から発見した。

不思議なことに、花の花弁の数、樹木が枝分かれするパターン、松かさの鱗片が作る螺旋《らせん》などに、この数列が見られる。また、数が大きくなるほど、隣り合わせた数字の比は「1：1・6」に近づく。ご存じ、美しい造形に共通する「黄金比」である。

やはり、自然と数学は、分かちがたい友情で結ばれているようだ。

ゼロを1にする仕事

自然を愛した昭和天皇は、優れた科学者でもあった。陵墓には顕微鏡が副葬されたと聞く。その天皇が戦前から戦後にかけて採集した生物標本の一つが2018年、「新種」と分かった。テヅルモヅル類という、深海にすむヒトデの仲間で、この生物の新種が国内で発見されるのは、なんと106年ぶりという快挙だった。

特定したのは、岡西政典・東京大学特任助教（現・広島修道大学助教）。テヅルモヅルの専門家である。

「謎の生物」に胸をときめかせる子どもだった。成長すると、新種に名前を与える分類学の道に進んだ。

しかし、分類学は巨額の利益とは無縁だ。公募制の競争的研究費にも恵まれず、年10万円ほどでやりくりする日々が続いていた。

支援をかってでたのは、窮状を知った友人の柴藤亮介さんである。柴藤さんは研究に特化したクラウドファンディングサイト「アカデミスト」の創設者。支援先の第1号に岡西さんを選んだ。

DNA解析など最新の手法を使って、謎の多いテヅルモヅルの分類に挑む――という岡西さんの計画に共鳴した人たちから、目標を上回る63万円が寄せられた。

「柴藤さんがいなければ、この発見はなかった」と岡西さんは言うが、柴藤さんは「テヅルモヅルと出会わなければ、アカデミストはなかった」と振り返る。

大学院で理論物理学を修めた柴藤さんは、科学者と社会をつなぐ今の仕事が楽しくてたまらないという。

発足後の5年間で109件を扱い、総額1億円を集めた。約9000人にのぼる寄付者の大半は、知的好奇心に富む一般の人々だ。

「ゼロから1を生み出すような研究を支えたい」と柴藤さん。時を超えて受け継がれる知の営みを、発掘し育てる彼の仕事もまた、ゼロから1を生み出している。

2

森と薪と人

熱帯雨林にも同じ時が流れる

カンジェロ。

この名前を知ったのは、椎名誠さんのアマゾンに関する探検エッセイだったと思う。不用意に川に向かって用を足すと、アンモニアの匂いをかぎつけて突如水中から飛び出し、大事な場所にかみつく。それどころか、尿道から潜り込んで体内を食い荒らすという恐ろしい「人食いウナギ」である。

真偽のほどは定かでないが、アマゾンにはすごい生き物がいるのだと、読んでお尻がむずむずした。

アマゾン熱帯雨林の広さは、日本列島が10数個も入るほど。年間平均気温は25度前後。日光と雨をたっぷり吸って育った木々が活発に光合成をし、大量の酸素を放出することから「地球の肺」とも呼ばれる。

300万種を超える生き物がいるという。まさに「生命のスープ」のような世界。中には、社会との接触を断って生きる先住民族もいる。私たちには想像もつかない世界観の中で生きているのだろう。人工衛星が、1人1人の顔立ちまで宇宙から見分ける時代に、誰にも知られずに生きている森の民だ。

「あらゆるものが調査され、測量され、理解されているような現代において、この川は、私たちがすでに知っていると思っていることに疑問を投げかける」

題名にひかれて手に取った『煮えたぎる川』（TEDブックス）には、こう書いてある。著者のアンドレス・ルーソは若き科学者。子どものころ、祖父から聞いた伝説を確かめるため、アマゾンに踏み込む。そして、もうもうと湯気を上げる水温86度の川が実在することを確かめる。アマゾンについて私が知るのは、もっぱら探検記だ。本を開けば、目をみはるような謎に満ちた世界に会える。

そのアマゾンが、危機にあるという。熱帯雨林の6割を抱えるブラジルでは、自然保護より経済成長を優先するジャイール・ボルソナロ大統領（当時）が、熱帯雨林の乱開発を黙認した。熱帯雨林に火が放たれ、丸裸にした上で土地が開発された。

火災が地球温暖化を加速させ、野生動物がすみかを失うことを世界は心配している。だが、ブラジルには「自分の国のことは自分で決める」という理屈がある。

私にとって熱帯雨林がなくなることは、環境問題以上の打撃だ。

満員電車に押し込まれ、コンクリートの建物に住み、ひたすらスケジュールを消化するような暮らしをしながら、ふと地球の裏側の、ジャングルに息づく命のことを考える。カンジェロやナマケモノや、それを静かに見つめる先住民族の瞳を思い浮かべると、胸の奥がしんとするような、静かな気持ちになる。

はるか遠い国の異空間が、自分と同じ時間を刻んでいることに、心底、満たされる思いがするのだ。

トンジルブタジル問題

ある昼下がり、私は定食屋のカウンターで考え込んでいた。目の前には炊きたてのご飯、豚バラ肉とタマネギを炒めてタレをからめたおかず、そしておいしそうに湯気をあげる豚汁。私が頼んだのは「焼肉定食　830円」だったはず。が、出てきたのは豚バラ肉。ひょっとしてミスオーダー？　顔を上げると、ご主人と目が合った。

「焼肉定食って……牛肉じゃないんですね」

「うん、ウチはね、肉って言えばブタなの。トンジルもうまいよ」

いや私の中では肉といえば牛肉なんです、といいたい気持ちをなだめて箸をつけた。おいしかった。牛肉への煩悩を忘れかけたほどだ。だけどやっぱり焼肉と言えば牛肉でしょ、しかもブタジルじゃなくてトンジルとはね。

そんな話を東京育ちの後輩にしたら「いやいやいやブタジルじゃなくてトンジルです」という。私が生まれた九州では、「豚汁」にふりがなを振れと言われれば「ブタジル」が正解なのに。

このトンジルブタジル問題に関してはNHK放送文化研究所が分析している（2001年3月「放送研究と調査」）。女性より男性、高齢者より若者が「トンジル」と呼ぶ傾向があるほか、東日本に「トンジル」派が多い。

西日本では私のように「肉と言えば牛肉」と考える人が多いので、豚肉料理を「ブタ〇〇」と呼んで区別する心理が働くのだろうか。ちなみに「トンジル／ブタジル境界」は東海地方、という説もある。

その東海地方で2019年から20年にかけて豚コレラが猛威を振るった。野生のイノシシが媒介しているようだ。この病気は人間にはうつらず、もし感染した豚の肉を人間が食べても心配ないということだが、家畜の病気は経済被害に直結するから、養豚業者の不安はいかばかりか。

これまた気になるのは、業界ではこの病気を「トンコレラ」と呼んでいること。なぜ「ブタコレラ」じゃないの？　科学記者の人脈を駆使して知り合いの獣医に聞いて回ったが「学生時代に家畜伝染病の講義で『トンコレラ』と習った。理由なんて考えたこともない」とのそっけない答えが大半。うーむ。

唯一得られた、確からしい仮説は「ブタコレラ菌が引き起こす別の病気と区別するため」というもの。いま問題になっている「トンコレラ」の病原体はウイルスだ。一方、豚に腸炎や敗血症を引き起こす「ブタサルモネラ症」と呼ばれる病気があり、この病原体が「ブタコレラ菌」。ウイルスではなくサルモネラ菌の仲間だという。

トンかブタかは意外に深い問題なのだった。

咲けよ散れよと人の意のまま

咲く、という動詞に明るい響きを持つ接尾語「ら」を添えれば、さくら。菊と並ぶ日本の国花であり、春のシンボルだ。

一輪一輪は可憐だが、満開ともなればたわわに枝をしならせて絢爛《けんらん》。青空の下で、春霞の中で、薄明かりをまとうように咲く姿も、潔く散るさまも風情がある。私たち日本人のＤＮＡのどこかに、桜好きの遺伝子が刻まれているのでは、とさえ思う。

１００種類を超えるという桜の中で、最も知られている品種はソメイヨシノだろう。江戸は染井村で生まれた園芸品種。育てやすく、若木でも花が咲くことから全国に広がった。

近年、遺伝子解析により、先祖はエドヒガンザクラとオオシマザクラの雑種と特定された。さらに全国各地のソメイヨシノが、ほぼ同じ先祖を持つことも分かった。

ごくごく限られた原種の集団から、挿し木を繰り返して広がっていったらしい。何千本、何万本ものソメイヨシノが一斉に咲いて一斉に散るのも、元は同じ個体だからと考えられている。

枝を切って土に植えると、やがて根が生え、元々の木と同じ遺伝子を持ったコピーの個体として成長する。生物学ではこれを「クローン」と呼ぶ。

動物にもクローンは存在する。代表例が一卵性双生児だ。卵子と精子が出会い、受精する。その受精卵が偶然二つに分裂し、それぞれ個体へと成長するのだ。同じＤＮＡを分け合う双子は、それぞれが相方のクローンといえる。

偶然ではなく人為的にクローン動物を作る技術は、20世紀後半に確立された。コピーしたい個体の細胞から遺伝情報（ＤＮＡ）が詰まった核を取り出し、未受精卵の核と置き換える。電気刺激を与えて分裂する状態にした後、仮親の子宮に入れて育てる。

肉質のいい牛がいるとしよう。その形質を、雄と雌を出会わせる通常の繁殖で増やそうとすれば、一定の確率で「はずれ」が生まれる。だが、クローンなら理論上、忠実に再現できる。海外には、ペットとの別れを惜しみ、飼い主の依頼でクローン個体を作るビジネスがあるという。

クローン技術で絶滅動物を復活させる研究も進む。その一つが、マンモス復活プロジェクトだ。永久凍土から、凍結状態で発掘されたマンモスの体細胞を使う。細胞から核を取り出してゾウの卵子の核と置き換え、ゾウの子宮に移植して出産させる。

成功例はまだない。野心的な研究だが、1万年前に絶滅したのには理由があったはずだ。それを人間の好奇心だけで復活させることの意味を、まず考えた方がいいのではないか。

「脱炭素社会」、夢か幻か

大気中の二酸化炭素（CO_2）を減らす「脱炭素」の取り組みが広がっている。2021年を象徴するキーワードの一つになることは確実だ。

CO_2をはじめとする温室効果ガスが、地球温暖化を引き起こすと認識されたのは1970年代のこと。だが当時は、科学者の間でも危機感は薄かった。

国際政治マターになったのは90年代になってから。97年に採択された「京都議定書」では、先進国に対してCO_2の排出削減が義務付けられた。

けれど、実行されたかというと「NO」である。当時、排出削減といえば便利で豊かな暮らしを手放し、経済成長を諦めることを意味したからだ。

そうこうしているうちに、地球環境はのっぴきならない状況に立ち至った。熱波で人が亡くなり、干ばつが飢饉《ききん》を引き起こし、豪雨で都市機能がまひする。こんなできごとが毎年のように世界のどこかで起きている。

そうした中、2015年に生まれたのが「パリ協定」だ。途上国も新興国も一緒に温暖化対策に取り組むことを約束した。

21年秋、英グラスゴーで開かれた締約国会議（COP26）では、中国、米国、インドという3大排出国を含む世界が「脱炭素」の意思を確かめた。

「パリで競技場が作られ、グラスゴーでレースが始まり、今夜その号砲が鳴った」。米のジョン・ケリー大統領特使はこう宣言した。

「脱炭素」。シンプルな響きとは裏腹に、達成に向けた道筋はかなり険しい。

ただ、京都議定書時代と異なるのは、CO_2の排出削減だけでなく、「回収」に向けたビジネスが次々と登場していることだ。

Carbon Capture and Storage（炭素回収・貯留）の頭文字をとって「CCS」と呼ばれる技術がその一つ。手法はさまざまだが、スイスには、大気中のCO_2を回収する商用プラントが登場した。

回収したCO_2は地下のパイプを通って農業用ハウスに供給される。野菜はそれを光合成に使って育つ。収量が1割程度増える効果もあったとか。

人は行動する際、節約したり我慢したりする「引き算」より、新たなモノやサービスの「足し算」を好むそうだ。リサイクルやCCSビジネスはその典型だろう。

忘れてならないのは、これらはあくまで補助的な手段であること。現時点ではコストが高く、長期的にみて有効かどうか、不明な部分も多い。技術があるのだからと、資源を浪費するライフスタイルを続けることはお勧めしない。

「地球は子孫からの借りもの」。ネイティブ・アメリカンに受け継がれている思想だ。将来世代に健やかな地球を引き継ぐ方法を考えるのは、いまを生きる私たちの責任である。

バナナから地球の今を考える

身近にありすぎて、ありがたみを忘れがちなもの。空気や水、家族やふるさとは、その典型かもしれない。

バナナはどうだろう。深夜でもコンビニで買えて、お財布に優しくて、しかも栄養豊富。総務省の家計調査によれば、日本国民が最も多く食べている果物は、りんごでもみかんでもなく、バナナなのだという。

知らなかった。びっくりして、いろいろと調べてみた。

国内に流通しているバナナは、年間１００万トンあまり。ほぼ、輸入ものである。沖縄や鹿児島の一部でも栽培されているが、全体の０・１％にも満たない。

輸入バナナの7割以上がフィリピン産だ。そのほか、エクアドル、メキシコ、グアテマラなどからもやってくる。

多種多様なバナナが店頭に並ぶ風景は、海外での生産や輸送がスムーズに行われているからこそだ。だが、その日常が揺らぎ始めている。

フィリピン政府が、輸入元の日本小売業協会に「小売価格を引き上げてほしい」と異例の要請をした。コロナ禍で世界的なサプライチェーンの混乱が起きたところにウクライナでの戦争が加わった。肥料や燃料の価格がはね上がり、現状の価格では生産現場が立ちゆかない、という。

採算が取れない状況が続けば、廃業する生産者が相次ぎ、品質や生産量に影響が出かねない。現地からの嘆願書にはそう記されている。

食料品の値上げが相次ぐ中、「バナナよ、お前もか……」とこぼしたくなるけれど、遠く外国から運ばれてくるこの果物の適正な対価はいくらなのかを考える時だ。

日本政府がバナナ市場を自由化した1963年まで、バナナは高級な果物だった。私の母は60年に姉を産んだが、「頑張ったごほうびにバナナを一房もらったのがうれしくてねえ」と、懐かしそうに話す。

サラリーマンの月給が1万円台という時代に、バナナの値段は1本50円。現在の物価に換算すれば、1本1000円ぐらいになるだろう。庶民にとっては「ぜいたく品」だったのだ。

サステナブルな暮らしを地球規模で実現するためのSDGs（持続可能な開発目標）を思い出

そう。輸入バナナに適正な対価を支払うことは、「貧困をなくそう」「すべての人に健康と福祉を」「人や国の不平等をなくそう」といった目標をかなえることにもつながる。

のびのびと陽気な形、ほがらかな黄色。バナナを手にする人が誰でも幸せになるよう、考え、行動するきっかけになればと思う。

小笠原からの音色

ころんと丸みを帯びた形。赤い木肌と光沢が愛らしい。「世界にたった一本ですよ」。クリエイティブディレクターの小見山将昭《まさあき》さんが、とっておきのクラシックギターを見せてくれた。その名は「バレリーナ」。世界自然遺産・小笠原諸島で厄介者扱いされている「アカギ」を使って作られた。

小笠原のアカギは1900年ごろ、沖縄から持ち込まれた。繁殖力が旺盛で早く育つため、燃料として小笠原の製糖産業を支えた。やがて、産業構造が変わって利用が途絶えると、在来種を圧倒しながら増え続けた。

小笠原は、隔絶された環境で形成された独自の生態系が財産である。アカギはいまや「侵略的外来種」なのだ。

音楽業界で長く活動してきた小見山さんは2017年、現地の住民が伐採したアカギの処分に手を焼いていると知った。頭に浮かんだのは楽器作りだ。木挽き職人の祖父から、山の恵みの尊さを聞かされて育った。人の都合で駆除されてしまうアカギを、人の心を震わせる楽器として生まれ変わらせることができないか。

分析したところ、木質はギターなどに使われるローズウッドやマホガニーに似ていた。いずれも枯渇が心配されている高級材である。

幸い、小笠原の父島でアカギの活用を模索している横山浩一さんから、製材して乾燥させた材料を提供してもらえた。ギター職人を口説き、2年がかりの試行錯誤の末、誕生したのが、この「バレリーナ」だ。

促されてつま弾いてみた。音色は硬質。高音域がよく響く。「アカギを一流の職人の手で生まれ変わらせ、日本発の一流のクラフトに育てたい」と小見山さんは夢を描く。

南国の空の下、陽気に踊るバレリーナが、小笠原の魅力をまた一つ増やしてくれそうだ。

「買わない、捨てない」ビジネス

私は3人きょうだいの末っ子で、「お下がり」を着て育った。

ほとんどは、姉や兄や近所の子のお古。小柄だったせいか、同級生からももらった。

制服も同様。上着の裏側に知らない人の名字が刺繡してあったのを覚えている。

「お」をつけてみたって、しょせんは古着。新品を好きなだけ買ってもらえるひとりっ子に憧れたものだ。

大人になって洋服を買える身分になると、新たな悩みが生まれた。

買って何度か着ているうちに、新しい服が欲しくなる。それほど着ないまま飽きてしまい、とはいえ捨てられず「タンスのこやし」に。もったいないので売りに出したら二束三文！

それでも、大量消費文明は、次から次へと新しい商品を用意して人々をそそのかす。資本主義社会に生きる限り、このストレスから自由になれない。

先日参加した催しで、新しい道があると知った。サーキュラーエコノミー（循環経済）。欧州から広がり、日本でも注目が高まっている。

教えてくれたのは安居昭博さんだ。環境先進国・オランダに暮らし、たくさんの事例を取材して本（『サーキュラーエコノミー実践』学芸出版社）も書いた。

「例えばこれです」と、はいているジーンズを見せてくれた。MUD《マッド》ジーンズというブランドだが、買うのではなく「借りて」はく。飽きたら返せばいいし、穴が開くまではいてもいい。最終的にはメーカーが引き取り、繊維に戻してジーンズに再生するのだ。

多くのジーンズが「1年でタンスのこやし」になっているとの調査結果を踏まえて生まれたビジネスだそうだ。

リサイクルすることを前提に考えられている。例えば背面の革ラベルは最初からつけない。なるべく長くはき続けられるよう、ファスナーをボタンにするなど独自のデザインが生まれた。

買わない。使い続ける。ごみを出さない。それがサーキュラーエコノミーの要諦だと安居さんは言う。それを実現させてビジネスとしても有望なら、万々歳なのではないか。

エコ都市・江戸

資源を浪費せず、ごみを出さない新しいビジネス「循環経済《サーキュラーエコノミー》」。気候変動対策にも通じるというわけで、欧米ではコロナ禍からの経済立て直しへの期待も高まっている。

残念ながら、日本は周回遅れ。

もっとも、江戸時代の日本はこの潮流を先取りしていたらしい。人口100万人超、世界最大の都市と呼ばれた江戸では、モノは使い倒すのが当たり前だった。そんなライフスタイルは、多様な商いに支えられていた。

鍋釜の穴を修理する「鋳掛《いかけ》屋」、割れた瀬戸物を元通りにする「焼接《やきつぎ》屋」。下駄直しに雪駄直し、きせるを修理する「羅宇《らう》屋」……。

欧州連合（EU）は2020年に公表した行動計画で、消費者の「修理する権利」を提唱している。えっと、300年前の日本にはありました。

江戸の庶民は着る物を古着屋で買い、繕いながら着倒した。すり切れればおむつや雑巾として使い、ぼろになったら燃やす。その灰すら「灰買い」が買い取り、肥料などとして売ったという。

とにかく、身の回りのすべてが資源。ごみ、という考え方自体が希薄で、江戸の街は文字通り、ごみ一つない美しさだったとも伝えられる。

大量消費に慣らされた21世紀にこれを実現させられるだろうか？　無理な気もするけれど、

そうそうのんびりと構えてもいられないようだ。

「いまや、ごみは奪い合いです」。ESG金融コンサルタントの夫馬《ふま》賢治さんから聞いて驚いた。便利な生活を支えるハイテク製品の多くはレアメタルが不可欠だが、資源大国のロシアや中国に頼る現状はリスクが高い。となれば、廃品から取り出して再利用する、という発想が生まれる。

プラスチックも、「脱炭素」の流れの中で石油から新たに作ることが非常識、とされる時代になっている。ごみを資源として生かす技術を持たない企業はもはや、ものづくりの世界で生き残れないのだという。

さあ、いつ変わるの？　今でしょ！

破壊的イノベーション

地方へ出張するというので、久しぶりに戸棚の奥からコンパクトカメラを出してきた。「カメラを手放すな。シャッターチャンスを逃すから」と、新米記者時代に仕込まれたっけ。スマートフォンの方が、並のカメラより高性能だったりする昨今では、このご託宣も説得力は弱い。

案の定、カメラは動かなくなっていた。リチウム電池を充電してみたがダメ。不具合は電池か、充電器か、あるいは本体か。

近くの家電量販店に修理コーナーがあるのを思い出して出かけた。20代後半とおぼしき男性スタッフをつかまえて、相談してみる。

その青年はカメラの品番を手元のパソコンにカチャカチャと打ち込み、「あ、これは随分前に製造中止になった商品ですから修理は難しいかもしれません」と、抑揚のない口調で言った。「本体じゃなくて、充電周りの故障かもしれないのです」と食い下がると、「ではいったん受け付けを」と青年。「診断にお金がかかりますか」と聞いたら「それは受け付けしないと分かりません」。

古いんだから買い替えれば？　と言わんばかりの杓子定規な対応にげんなりしてその場を離れ、カメラ売り場へ向かった。

初老の男性スタッフに事情を話すと「あ、動かない原因は電池ですね。真ん中が少しふくらんでいるでしょう、これは老朽化のサインです」と即座に言い当てた。

棚の奥から、同機種のバッテリーを探し出し、私が持参した充電器には異常がないことを確かめた上で、カメラも健全であることをてきぱきと確認してくれた。

「大切に使っておられますね。あいにく廃番になってますが、リチウム電池だけを交換するのであれば、他社製品が使えますよ」と、わざわざ通販サイトで調べてくれる周到さ。

修理コーナーの青年とは経験知のレベルが違う。モノへの愛情とプロ意識にも感心した。

ただ、部品を共通化しないまま、新機種を次々と出しては廃番にするメーカーの責任は重いと私は思う。

カメラがスマホに置き換えられつつあるとしても、「壊れたら直して使い続ける」文化を、作った本人が否定するようなものだ。放置されたユーザーは救われない。

自動車の発明が、街から馬車を駆逐したように、破壊的なイノベーションは既存の技術を無力化する。それまで主流だった商品やサービスは忘れられ、時に膨大なごみとなる。資本主義が抱える宿痾《しゅくあ》と言ってもいい。

つい先日も、Ｗｉ－Ｆｉのルーターを通信会社の勧めで５Ｇ対応機種に交換した。不用になったものを店に返しに行ったら「お客様が買い取った形ですからお引き受けできません。不燃ごみに出してください」だと。

そんなに便利にならなくていいのでイノベーションは休み休みでお願いします。そう思うのは私だけだろうか。

パタゴニアの決断

死ぬまでに訪れたい場所の一つにパタゴニアがある。

国名ではない。南米アルゼンチンとチリにまたがる南緯40度以南の地域をこう呼ぶ。氷河と高山、絶え間なく吹く烈風。裾幅の広いパンツをはいたガウチョが馬を駆り……という椎名誠さんのエッセイを読んで以来、漠然と憧れている。

同じようにパタゴニアに憧れ、社名にしたのが米国のイボン・シュイナードさんだ。アウトドアメーカー創業者にしてサーファー、登山家。所有する「パタゴニア」の発行済み株式すべてを寄付したことが話題になった。

株式はもともと非公開で、本人と家族が保有していた。ニューヨーク・タイムズによれば時価総額30億ドル（約４３００億円・当時）。今後も、会社の利益から再投資分を除いたすべてを環境団体に寄付するという。

彼の経営哲学は、自伝でもある『新版 社員をサーフィンに行かせよう』（ダイヤモンド社）に詳しい。

地球がなければ人類は存在できない。唯一のすみかである地球を汚したり、供給能力を超える量の資源を浪費したりしてはならず、そうした行為をそそのかすような企業活動は、当然許されない、というものだ。

これまでもシュイナードさんは、自社の看板商品の写真に「この上着を買わないで」と大書した広告を打ったり、業況に関係なく売上高の１％を寄付する制度を創設したりと、その信念を形にしてきた。

１９９０年代に起きたできごとが、本の中で紹介されている。

ビジネスが成功して急成長を遂げたものの、創業当時の志を見失いかけたシュイナードさんはコンサルタントに相談した。パタゴニアを経営する理由を聞かれ「環境保護団体に寄付する金を作るためだ」と答えると、「それは、たわごとですな」と一蹴されたという。

「寄付をしたいなら1億ドルで会社を売り、基金を作りなさい。その運用益を環境保護活動への寄付に回せるでしょう」

だが、シュイナードさんはこの助言を受け入れなかった。買収が成立したとしても、買い主が経営理念を守ってくれる保障はないし、運用益は景気に左右される。何より、自然と触れあうためのモノ作りが大好きだったのだ。

今回シュイナードさんが行った寄付は、1億ドルの30倍に当たる。それだけ足元の環境危機を深刻にとらえているのだろう。

企業の社会的役割についても考えさせられる。「パタゴニア」のウェブサイトには「今や地球が私たちの唯一の株主です」というメッセージがあった。

環境倫理に沿う経営で利潤を上げ、社員や消費者が笑顔になり、株主も地球も喜ぶ。いわゆる「三方よし」の精神だが、どれだけの企業が実現できているか。

SDGs（持続可能な開発目標）のバッジを着けてとりあえず「やってる感」を出している企業の社長さん、見習って本気を出す時です。

オーバーシュート

世界の人口が2022年に80億人を突破した。

国連人口基金によれば、70億人突破は2010年だった。12年間で10億人増えた計算だ。

現生人類であるホモ・サピエンスが登場して以来、世界の人口がどのように増えてきたかを描いたグラフが、基金のウェブサイトに載っていた。

約20万年前から、横ばいか緩やかな増加を続けてきた人口カーブは、19世紀ごろ急上昇に転じる。さながらロケット。あるいはコロナ禍での感染者の爆発的増加「オーバーシュート」。

人口急増の背景に、産業革命と、それを生み出した科学技術の進歩があることは間違いない。

紀元前に始まったとされる農耕や牧畜は、気候など外的条件に左右されることが多かった。近代になると化学肥料が発明され、農業の機械化が進んだ。食糧生産が飛躍的に増え、多くの人が飢餓の恐怖から解放された。

医学の進歩も大いに貢献しただろう。病気の仕組みが解明され、種痘《しゅとう》や抗生物質が、致命的な感染症を「防げる／治せる病気」に変えた。

かくして人口は、この100年間だけで4倍に膨らんだのである。

人類の繁栄は喜ばしい。一方で、「これだけの人口を地球は養えるのか？」と心配になる。

言うまでもなく、地球というシステムは有限である。限られた資源を、全人類で上手に分け合い、枯渇しないように使い続けられるだろうか。

国際環境NGOの試算によると、人類は現在、地球が1年間に供給できる資源の1・7倍を消費しているという。

1月1日によーいドンで使い始めて、大みそかに使い切るならかろうじて合格。しかし、1・7倍のペースだと、7月28日に使い切ってしまう。

NGOはこの日付を「アース・オーバーシュート・デー」と名付け、各国の状況に応じて算出している。

予想通り、産油国や先進国ほど成績が悪い。23年の場合、一番早く「その日」が来たのがカタールで2月10日。米国は3月13日、日本は5月6日だった。

「え〜、もったいない精神で暮らしてますけど」と反論したくなるかもしれない。けれど、水も電気も食品も、お金さえ払えば自由に手に入るという暮らしそのものが、相当にぜいたくなのだと私たちは認識しなくてはならない。

さて、どうする。

日本は資源小国なのだから、輸入で買い負けないよう、ガンガン稼ぎましょう、と考えるのは短絡的だ。それをやり始めると、人口が急増している低所得国の人たちの暮らしがますます厳しくなってしまう。そしてそれは、難民や紛争という形で平和を脅かすことになる。

地球は一つ。人類はきょうだい。そのことを肝に銘じたい。

脱・飽食

新年を旅先で迎えるのが、ここ十数年の習わしである。ひとり正月を過ごす娘をふびんに思ったか、両親が年越しの旅に誘ってくれたのが始まりだ。

温泉につかり、たらふく食べたら、川の字に敷かれた布団で眠りたいだけ眠る。起きれば暖かい部屋におせち料理が用意されている。年に一度のぜいたくである。

もう1泊となれば、缶ビールとカップラーメンを持ち込み、敷きっぱなしの布団で浴衣のまま過ごす。父が逝ってからも、こんな母との2人旅が続いている。

気がかりなのは、年齢とともに、出されるご馳走を平らげられなくなってきたことだ。

この正月は蟹が自慢の宿だった。刺し身、ゆで、焼きと存分に振る舞われた。それだけで満腹になり、色とりどりの酒肴《しゅこう》も煮魚も手つかず。〆の蟹雑炊も、食べたいのに胃が受け付けない。「あれ、おいしそうだったね……」と、三が日、くやしかった。

食べきれないほど出すのがおもてなし、という考え方が日本では長くあった。だがフードロスのことを考えると、のんびり構えてもいられない。

環境省の推計では、年間約522万トンの食品が、「まだ食べられる」状態で廃棄されている（2020年度）。国民全員が、茶碗1杯分近くを毎日、捨て続けている計算だ。そのうち47％は家庭から出ている。「安いから」と勢いで買ったけど賞味期限切れでそのままごみ箱行きってこと、あるでしょう。

かたや都会では、家も仕事もなく、おなかをすかせた人たちが寒空の下、配給の弁当を求めて並んでいる。複雑な思いになる。

クリスマスケーキやおせち、恵方巻なんていう季節色の強い食品が店頭に並ぶ季節でもある。売れ残ったらどうするのだろうと心配になる。業界は予約制を導入するなど、フードロスの削減に取り組み始めている。

ちなみに、この統計には、市場に出る前に廃棄された量は含まれない。味は変わらないのに規格外というだけでハネられる農水産物、生産調整で生じる「隠れたフードロス」。生産者もやりきれないだろう。

世界ではどうか。生産される食料の3分の1は、さまざまな理由で人々の口に届かない。80億の人口を養うだけの地球の供給力が危ぶまれているというのに、何とかしなければならない問題である。

それどころか、フードロスに伴う温室効果ガス排出は、排出量全体の8〜10%、という試算もある。こうしちゃおられん！

とりあえず個人でできることをしよう。食べる分だけ買う。生鮮食品は「手前」から取る。賞味期限が過ぎても、責任を持って食べる。そして旅館では「少なめで！」とお願いすることにしよう。

MOTTAINAIの、その先

オーバーシュート。「度を越す」という意味の英語で、新型コロナウイルス禍では感染者の爆発的増加を指した。

環境の分野では、生態系が生み出す以上の資源を消費することをいう。日本は石油や食料などを輸入に頼り、温室効果ガスを大量に出して地球に負荷をかけている「オーバーシュート大国」だ。

　これをすべての国が続けたらどうなるか。限りある資源の奪い合いが、やがて紛争に発展する。平和は失われ、人々は貧困や病に苦しみ、気がつけば地球は、誰も住めない星になっている——。

　地球温暖化が「気候危機」と呼ばれ始めたのは数年前のこと。悲惨な未来を回避しようとする取り組みが、政府や企業や個人や、さまざまな場で加速している。遅すぎたかもしれないが、気づかないよりはましだ。

　思い出すのは、アフリカの大地に木を植える「グリーンベルト運動」を率いたワンガリ・マータイさんの生き方だ。平和と環境問題を不可分なものと考えて活動し、２００４年、ノーベル平和賞を贈られた。

　興味深いのは、行動の出発点が「緑化」ではなかったことである。いきさつは自伝『へこたれない』（小学館）に詳しい。

　祖国ケニアで大学教授として市民運動にかかわるうち、マータイさんは農村の女性の貧困の現状を知る。

　森林を伐採して農地に変えた結果、土地は保水力を失い、砂漠化が進んだ。飲み水や煮炊きのための薪、家畜の餌を遠くまで取りに行かなければならず、家畜はやせ、子どもは手伝いを命じられて学校に通えなくなった。

　自然環境の悪化が貧困の原因ならば、木を植えたらどうだろう、と彼女は考えた。読み書きはできなくても植物を育てることは得意な女性たちに苗木を育ててもらい、それが植林されれば報酬として現金を支払う仕組みを編み出した。

運動は共感を呼び、世界に広がった。１９７７年の活動開始以来、延べ10万人以上を巻き込み、植えられた木は５０００万本を超える。

女性たちは自立への自信を得て、男性中心の社会で声をあげ始めた。生態系を損なう開発には体を張って反対した。当然のように政権からは敵視され、マータイさんは何度も投獄された。それでも、へこたれなかった。

マータイさんは、社会の繁栄をアフリカの伝統的な丸椅子に喩えている。座面を支える３本の脚は民主主義、持続可能で公平な資源管理、そして平和。

行動することの大切さを説いた。「人は自分の問題とはなかなか向き合おうとしない。それでも、重要な問題に対しては行動する力を持っている」。05年に来日した折、インタビューに答えている。

日本語の「もったいない（ＭＯＴＴＡＩＮＡＩ）」を世界に広げた人でもある。自然を敬い、度を越した消費を慎む心を、マータイさんはこのことばから受け取った。世界が今、目の色を変えて目指している「持続可能な社会」を、半世紀も前に見据えていた。

２０１１年に亡くなったが、マータイさんがまいた種はようやく、世界の共通認識になった。今を生きる私たちが引き継ぎ、大きく育てていかなければならない。間に合うだろうか。

森林大国の担い手

房総半島を襲った2019年の台風15号。広範囲な停電の一因は倒木だった。ジャーナリスト、上垣喜寛《うえがき》さんは倒木処理のその先が気がかりだ。「二度と起きないよう皆伐(全面伐採)してしまえ、という流れができてしまうのでは」

林業の衰退と山林の荒廃が叫ばれている。国は「稼げる林業」を掲げ、業者による効率的な伐採を奨励している。その結果、あちこちに丸裸の山が出現した。一方で、人手不足やシカの食害などから再生は進まない。「はげ山」は災害が起きやすく、放置するほど再生が難しくなる。そんなまがまがしい現実が、地方では進んでいる。

上垣さんが林業に関心を持ったきっかけは、祖父母の古里・和歌山県の山だ。東京ドーム3個分、約15ヘクタールの山林を、いずれ受け継ぐと聞かされていた。20代のころ、林業を仕事にできないかと思い、調べてみた。大型の高性能機械など1億円が必要になると知った。驚き、同時に疑問がわいた。

「山を大切に育て、継続的に収入を得ながら次の世代に引き継ぐ林業がなぜできないのか」数年後に出合った「自伐《じばつ》型林業」は、その実現を目指していた。300万円の初期投資で始められる。小規模だから環境への負荷が小さい。暮らしと山が近く、日常的に手入れすることで害獣を遠ざけ、山の防災力も高まる。

上垣さんは今、自伐型林業を志す人を支援するNPOの事務局長として普及に駆け回る。

ＮＰＯの研修を受けた「担い手」は5年間で１５００人を数える。都会から移り住み、農業や観光業、ＩＴなどと兼業する人が増えてきた。

国土の67％を森林が占めるこの国では、少なくとも山は「工場」ではない。もっと親密で多様な恵みをもたらす存在だ。新しい担い手たちが、そのことを思い出させてくれる。

森と薪と人

サワードウブレッドは、ずっしりと重くて酸っぱいパンだ。ゴールドラッシュにわく19世紀の米国で金鉱掘りたちの腹を満たした。転じてアラスカでは、厳しい気候を強く生き延びる「本物のアラスカ人」を、尊敬を込めてサワードウと呼ぶ。

ノルウェーでは、強くて信頼できる人物を〈hel ved〉と称する。現地語で「硬い薪」という意味だ。硬く乾燥した薪は簡単に燃え、凍えた体を長時間温めてくれる。

ノルウェーの作家が書いた『薪を焚く』(ラーシュ・ミッティング　晶文社)を読んだ。原題が『Hel ved』。森の木が人の手によって薪となり、燃やされるまでの一生を描く。

北欧で受け継がれてきた、薪仕事をめぐる実用書でもある。「焚く」までに２３０頁を費やして、木の種類、伐採のタイミング、道具のそろえ方、乾燥の方法から薪割りまで詳細に解説している。

豆知識も豊富だ。薪の積み方には人柄が表れるから、結婚相手を選ぶときの参考になる。ち

なみに薪の少ない棚は「その日暮らし」、薪棚なしは「夫の資格なし」。

木は古来、人にとって最も身近な燃料だ。燃やせば二酸化炭素が出るが、成長する過程で二酸化炭素を吸収する。生育と消費のバランスに配慮しながら適切に使えば、地球温暖化を加速させない持続可能なエネルギーになりうる。停電リスクにも強い。

火を手なずけることは、命を守ることに直結する。宇宙飛行士が受けるサバイバル訓練は、ロシアの雪原で行われる。まずやるのは枯れ枝を集めて火をおこすことだ。あかあかと燃える火は寒さと不安を和らげ、生き延びる気力を与えるだろう。

薪仕事は、北欧にあっても定年後の男性が始める「趣味」の一つだという。若い世代は都市部の集合住宅に住み、手間のかかる作業を敬遠するからだ。

それでもこの本が２０１１年に出版されると、ベストセラーとなった。13年には公共テレビが特別番組「ノルウェー　薪の夕べ」を放送した。薪が燃える、それだけのライブ映像を８時間流し、20％の視聴率を稼いだという。

日本でもたき火が人気だ。キャンプブームもあるけれど、もっと深い何かがあるようだ。自然の中で火と向き合うと、古代から遺伝子に刻まれた「記憶」がよみがえる気がする。少なくとも、不規則に揺らぐ炎やパチパチとはぜる音は、デジタルな情報の洪水に疲れた五感を和ませる。

日本語版『薪を焚く』は、２０１９年秋の発刊から1年足らずで5刷を数えた。「薪人はもちろん、暖炉や薪ストーブを持たない人も読んでくれています」と、編集者の松井智《とも》さんは語る。

私は後者で、おそらく暖炉のある一軒家には一生住まないし、薪割りをすることもない。それでも本を読み、森や木や薪に人々が寄せる思いに動かされた。日本国土の7割を占める森林を、絵はがきの風景のように眺めていた自分にも気づく。

北欧はそろそろ冬だろう。でも春先から準備した薪棚があれば安心だ。白い息を吐きながら薪を抱え、得意げに居間へ運ぶ、知らない誰かのことを思い浮かべる。

それだけで、私は穏やかな気持ちに満たされる。

祖先たちの航海術

知らず知らず眉間にしわが寄るような、都会での生活。深呼吸したくなる時、私は冒険物語を読むことにしている。

植村直己が犬ぞりに乗り、独りで北極圏を横断するルポや、南極点を目指す途中に遭難しながら全員が生還した「エンデュアランス号」の物語。いかだで南太平洋を８０００㎞も漂流した「コンチキ号」の物語にもわくわくしたなあ。

そんなわくわく感を、２０１９年の夏はリアルタイムで体験した。国立科学博物館の人類学者、海部陽介さんらが挑んだ「3万年前の航海 徹底再現プロジェクト」である。

私たちの祖先は3万年以上前、大陸から渡ってきたと考えられている。出土した人骨などから考えられるルートは①サハリンから北海道へ②朝鮮半島から対馬へ③台湾から沖縄へ、の三つ。このうち海部さんたちは、三つめのルートを実際に渡ってみようと考えた。

台湾と沖縄の間には、幅100㎞の黒潮が流れている。潮の流れは人間の早歩きぐらいだが、手こぎの船で横切るのは大変だ。

これまでの挑戦で、草舟は沈没し、竹舟は流された。最後の挑戦には丸木舟が選ばれた。手作りの石斧だけで巨木を切り倒し、これまた手作りの道具でくりぬいた。

ようやく完成した丸木舟は「スギメ」と名付けられた。

男性4人、女性1人のこぎ手が乗り組み、台湾の東海岸を出発したのは7月7日。もちろん、GPSも地図も、時計も持たない。昼は太陽、夜は星空を手がかりに、方角を推測しながらの航海である。

果たして45時間後、舟は200㎞あまりを旅して与那国島にたどり着いた。全員が無事だった。

やってみて分かったことと、新たに生じた疑問がある、と海部さんは言う。

分かったことは、この旅が実際にあったとすれば、それは決して「漂流」ではなく、意志をもって行われただろうということ。

疑問は、「これほど困難な事業を、なぜ我々の祖先はやってのけたのか」。つまり動機だ。

遺跡をいくら掘り返しても、その時代に生きた人々の胸の内までは分からない。だけど想像することはできる。

獲物を求めて転々とする暮らしにあきたのか、別の集団がやってきて追い出されたのか、それとも、たまたま山の頂上から、水平線の向こうにうっすらと見えた島影に好奇心をそそられたか……。想像力がかき立てられる。

航海の様子を記録した映像を見た。容赦ない夏の日差しにあぶられながら不眠不休でこぎ続けた5人が、2日目の夜は疲労困憊、眠りこけてしまう。夜明けとともに1人、また1人と起き出し、島影に向かってこぎ始める。

大自然の中で人間はちっぽけな存在である。でも私のルーツは彼らに行き着くのだろうか。そんなおおらかな気持ちにさせてくれる挑戦だった。

人と微生物との長い縁

心温まる記事を読んだ。小川醸造場という、長野市の味噌蔵が舞台である。明治から続くこの小さな味噌蔵は、千曲川のほとりにある。2019年秋の台風で堤防が決壊し、濁流が押し寄せた。自家栽培の大豆と米麹《こめこうじ》と塩だけで丁寧に仕込んだ味噌が、一夜にして失われた。

失意の中、その年の品評会で最高賞に選ばれたとの連絡が届き、四代目のご主人は思いついた。出品した味噌の現物を東京から取り寄せ、研究機関の助けを得て、仕込みに欠かせない微生物を抽出することに成功したのだ。

日本酒はもちろん、味噌や醤油《しょうゆ》、みりんなどの調味料は微生物なしには作れない。味噌の場合、米麹についた麹菌がでんぷんを糖に、大豆のたんぱく質をアミノ酸に分解する。さらに酵母や

乳酸菌がそれらを分解し、香りと味が生まれる。

微生物が生きるための活動が、人間にとっては「発酵」という、かけがえのない贈り物となる。

そして不思議なことに、これらの生き物の顔つきは、土地や蔵ごとに微妙に違うという。いわゆる「蔵つき」の微生物が、唯一無二の風味を生み出す。バラエティ豊かな地酒や地醤油は、こうした多様性に支えられている。

微生物研究の第一人者、坂口謹一郎（1897〜1994）が「世界無比の一大菌群」と称賛した麹菌は、その象徴だ。学名はアスペルギルス・オリゼー。カビの仲間で、オリゼーとは「米」のこと。

日本人とのつきあいは8世紀に遡る。古文書には「乾飯《かれいい》が濡れてカビがはえ、酒を醸した」との内容が記される。スサノオノミコトが大蛇に酒を飲ませて退治したという『古事記』の神話も、同じ頃に書かれた。

科学の「か」の字も無い時代、先人たちはどのようにして、この不思議な力に気づいたのだろう。麹菌のゲノムが解読されたのは2005年。その翌年には「国菌」に指定されている。

調べたら「菌塚」まであった。発酵を担うすべての微生物への感謝を込めて、京都・曼殊院《まんしゅいん》門跡《もんぜき》の境内に1981年、建立された。

題字は前述の坂口氏の揮毫《きごう》によるもの。建立に合わせて贈った和歌からは、親愛の情と敬意が伝わる。

目に見えぬ小さき命いとおしみ　み寺に残す永遠《とわ》のいしぶみ

長野市では、小川醸造場の再建を願う人々が動き出した。「キセキのみそ復活！プロジェクト」。2020年6月には中学生が参加して大豆の種を植えたという。

目に見えないほど小さな生き物と人間の互恵。時代を超えて結び合う、強い絆である。

食の風景

食欲の秋。だけど今年は何かが足りない。そうだ、サンマだ！

サンマが超絶不漁だという。店頭に並ぶのは昨シーズンの冷凍もの。運良く鮮魚にめぐりあえても「1尾500円」。ため息が出る。

原因として考えられるのは二つ。

一つは回遊ルートの変化だ。サンマは北太平洋に分布する2年魚で、毎年夏から秋にかけて産卵のため南下する。ところが近年、海水温の高い沿岸を嫌ってか、南下ルートが沖合にずれているという。日本のサンマ漁船は沿岸での操業を想定した造りになっており、分布がずれると対応が難しい。

資源量の減少もささやかれている。海外でサンマ人気が高まり、日本が独占的に操業できる排他的経済水域内に来る前に外国船が獲ってしまう、というのだ。

クロマグロやウナギのように完全養殖技術を模索する手もあるが、コスト面で見合わない。悩ましい現実だ。

サンマに限らず、私たちはそろそろ、当たり前だと思っている食の風景を見直す必要がありそうだ。

少子化に悩む日本をよそに、世界では人口爆発が起きている。足元の人口は80億人。この50年間で倍になった。国連の予測では、2050年には97億人まで膨らむ。

これだけ大勢の人々の胃袋をどのようにして満たすのか。穀物、野菜、食肉、いずれも不足することは明らかだ。

食肉業界では一足早く、革命が起き始めている。大豆やレンズ豆などの植物性たんぱく質を原料に作る、お肉そっくりの「人工肉」である。ファストフードチェーンがハンバーガーに導入し、健康意識の高い人たちはもちろん、肉好きの若者にも人気が浸透している。

「培養肉」の研究も進む。牛の細胞を培養して肉に育てるというSFチックな発想だが、これなら子牛から育てる手間が省ける。大量の餌や水も、広い飼育場所もいらない。

成功すれば、地球温暖化防止にも貢献する、というオマケつきだ。なにしろ、人間活動由来の温室効果ガスの約15%は、牛や羊などの家畜が出すげっぷや、排泄物から出ているのだ。

地球環境を守りつつ、人々の食を支える。相矛盾する課題をどうやって解くのか、残された時間はそう長くない。

四季折々の恵みをいただいてきた私たちにできることはあるだろうか。地球になるべく負荷をかけないことに尽きる。地産地消はもちろん、食べ物を無駄にしないことも大切だ。

幸いなことに、こういう工夫も楽しいと感じられる価値観を、私たちは持っている。

葡萄と人とテロワール

取材の醍醐《だいご》味《み》は、現場で当事者から、グッとくる一言を直接聞けることだ。たとえば、ぶどう畑で醸造家から飛び出すこんな言葉。

「ワイン造りは、サイエンスとポエムの融合です」

長野県上田市のシャトー・メルシャン 椀子《まりこ》ヴィンヤードを訪れた。ここに開業したばかりのワイナリーが2020年、アジアで唯一「世界ベストワイナリー50」に選ばれたのだ。

見晴らしがいい。北は浅間山、西には北アルプスの山並み。眼下は見渡す限りのぶどう畑。訪問時には、ワイナリーツアーの参加者や地元の人々が、実ったぶどうの収穫に精を出していた。

「陣場台地」と呼ばれるこの一帯は、かつて桑畑だったという。しかし、主要産業の養蚕が下火になると耕作放棄が相次ぎ、荒れ地になった。

住民たちの協力で、ぶどう畑としてよみがえったのは03年。東京ドーム6個分、30ヘクタールに8種類のぶどうが実る。

「いいぶどうが育つ条件は、日当たりの良さ、雨が少ないこと、水はけと風通しの良さ。そして愛情です」。畑とワイナリーの両方を束ねる醸造家の小林弘憲《ひろのり》さんが解説してくれた。

小林さんは大学で醸造学を学び、1999年にメルシャンに入社した。ワインの品質向上を模索する過程で、小林さんらは日本固有品種の「甲州」から思わぬ発見をする。

精密な化学分析から、甲州にはソーヴィニヨン・ブランのような柑橘系の香り成分があることが分かった。さらなる研究で、この香りを覆い隠してしまう成分も見つけた。

それまでの甲州ワインは、香りや味、酸味などに個性がないとして、耕作を諦める農家も出始めていた。発見をきっかけに、収穫時期や醸造法を工夫することでいい香りを引き出す研究が進歩した。

近年、国産ぶどうだけを使い、日本で醸造された「日本ワイン」の躍進がめざましい。進化の背景には、こうした科学の視点からのアプローチがある。冒頭の小林さんの言葉は、そんな思いから発せられたのだ。

日本には現在、大小合わせて300ものワイナリーがあるという。醸造学を学んだ人、ワイン好きが高じて脱サラした人などバラエティも豊かだ。作り手が多様化することで、さらに新しい世界が開けるかもしれない。

テロワール。土地ごとの気候風土や文化を意味する、ワイン造りのキーワードだ。同じぶどうを使ってもさまざまな個性を持ったワインができるのは、まさにテロワールの魔法。もちろんぶどうを育てる「人」も、その一部だ。

月を愛で、ともに生きる

春はあけぼの……で知られる『枕草子』は日本最古のエッセイ集だ。時の皇后に仕えた正真正銘の「お局」こと清少納言が、自然から人の営みまで「これが好き、あんなのはダサい」と論評する。感性は、現代を生きる私たちにも共感できるところが多い。

その清少納言が、月を論評している。彼女は明け方、東の空の山の上に細く出た月を「いとあはれ」とほめている。万人受けしそうな満月を選ばないところが彼女らしい。

どんな月か気になった。調べてみると、月が徐々に欠けて新月になる直前、月齢でいえば26あたりの「逆三日月」のようだ。この月は夜明け前に東から上り、日の出とともに見えなくなる。夜半に通ってきた男を見送った後、寝付けないまま眺めたのではと、ロマンチックな想像が膨らむ。

月は最も身近な天体だ。およそ38万㎞の距離を保ちながら地球の周りを回っている。太陽との位置関係で光の当たり方が変わり、満ち欠けが生じる。ちなみに、ウサギが餅《もち》をつくあの姿がいつも変わらないのは、月の自転周期と公転周期が同じだからだ。

楽器を扱う知人から「月齢伐採」という言葉を教わった。満月から新月に向かう時期に伐採された材木は、楽器に加工するといい音を奏でる、という。

ヴァイオリンの名器ストラディバリウスは新月の夜に伐《き》った木から作られているとか、法隆寺は月齢伐採の材木で造られたとか、逸話にも事欠かない。

月の引力が潮の満ち引きに関わっているくらいだから、地球上の生き物の営みが月の動きに影響されていてもさほど不思議ではない。

この仮説を科学的に検証しようとする人たちもいる。

H. Röki

針葉樹のオウシュウトウヒを使って調べたスイスの研究チームの報告によると、満月の前には幹が太くなり、月が欠けるに従って細くなるというサイクルが見られた。樹種や生育環境によっても差はあるだろうが、木は、月が満ちていく時期に水分や養分を吸い上げ、欠けていく時期にはその活動を休むらしい。つまり新月に向かう時期に伐採した木は乾燥が早く進み、扱いやすい。デンプンも減るため、虫食いや腐食を呼びにくい、という別の研究成果もある。

自然と寄り添うこうした知恵は、ローマ時代まで遡ると聞く。もっとも、この仮説が科学的に証明されれば、木こりは1カ月の半分は遊んで暮らせる、ということになる。

働くのは満月の後の2週間。それまでは月が満ちていく様子をのんびり眺める、そんな生き方も悪くないかも。

都心に住んだ牛たち

不注意から、足の小指を骨折した。幸い、ギプス生活は免れたが、主治医からこってりお説教された。

「いいお年頃なんですからカルシウムを摂って骨を丈夫にしないと。牛乳、飲んでますか?」

図星。ヨーグルトやチーズ、バターなどの乳製品は食べるが、牛乳を飲む習慣がない。買うのはフレンチトーストやグラタンを作る時ぐらい。心機一転、冷蔵庫に牛乳を常備する生活に切り替えた。

日本の庶民が牛乳を飲むようになったのは、明治時代に入ってからである。エジプトやメソポタミアでは4000年以上前から牛を飼い、乳を搾って飲んでいたというから、日本はずいぶん遅れている。

使役のために牛を飼う習慣はあり、田畑を耕したり荷物を運んだりと、牛は貴重な労働力として貢献した。だがその乳はもっぱら子牛が飲み、人が飲む習慣は根付かなかった。

幕末、初代駐日総領事として伊豆・下田に住んだハリスが牛乳を要求し、幕府が近隣の農家からかき集めた。記録によれば牛乳1ℓの値段が「約1両」。1両あれば、コメが3俵買えたというから、相当な貴重品だったのだ。

時代は移り、西洋文化を積極的に取り入れ始めた明治政府は、牛乳の栄養価に目をつけた。明治5年に著された『牛乳考』(近藤芳樹)は、「最上なる良薬にして……弱きは強く、老たるは壮ならしむ」と、その効能を強調している。

同じころ、天皇が毎朝牛乳を飲んでいることも報じられた。政府の懸命さがうかがえる。ただ、牛乳は傷みやすい。殺菌技術も冷蔵設備も不十分な当時、牛乳は消費地の近くで生産することが必須条件だった。

皇居から直線距離で約2㎞、千代田区飯田橋に「北辰社牧場跡」の石碑が立っている。経営者は榎本武揚。戊辰戦争で函館の五稜郭に立てこもり、新政府軍に敗れたあの幕臣だ。

若い頃、幕府の命でオランダへ留学し、航海術や造船術を学ぶと同時に、酪農大国での暮らしにも触れている。明治政府は彼に恩赦を与え、新しい時代の先導者として働かせた。

その一つが牧畜業だった。大名屋敷の跡地を再利用して50頭の牛を飼い、絞った乳を売る商売は東京の人々に受け入れられた。働いたのは旧幕臣の子弟たち。ここは失業した武士たちの、再出発の場でもあったのだ。

１９００年ごろまでは、麹町、虎ノ門、赤坂、秋葉原などに牧場兼牛乳店があったという。超がつく都心で、のんびりと草を食《は》む牛たちの姿を想像するだけで愉快な気持ちになる。さあ、今日も元気に牛乳を飲もう。

涙は惜しみなく

目は、世界一小さな海です。

こんな詩的な表現で、涙の役割を教えてくれたのは、慶應義塾大学名誉教授の坪田一男さんである。

地球は「水の惑星」だ。その水の98％は海にあり、地球の生態系を支えている。同様に涙は、目の健康に欠かせない「小さな海」なのだという。

どれぐらい小さいかというと、眼球の表面を覆っている涙の量は7マイクロリットル。１年分でも缶ビール１本ほどにしかならない。

それでも、あるとないでは大違い。涙が不足する病気「ドライアイ」の患者は、まばたきが思うようにできなくなり、失明のおそれさえある。

涙は陸上に暮らす動物のほとんどが分泌する。ただ、「泣く」のは人間だけだ。砂浜で産卵中のウミガメが大粒の涙を流したとか、ペットの犬が一緒に泣いてくれたとか聞くけれど、それは体内の余計な塩分を排出したり、乾燥を防いだりするための分泌にすぎないと考えられている。

何かに心を揺さぶられ、感情を高ぶらせて泣くという行為は人間の特権なのだから「涙を、出し惜しみしてはいけません」と坪田さんは言う。

さらに人間は、成長とともに「泣き」のバリエーションを増やす。

赤ちゃんや子どもはよく泣く。理由は「おなかが減った」「おむつが濡れて気持ち悪い」「眠い」「甘えたい」。自己中心的であり、言い換えれば泣くという行為は生き延びるための戦略だ。

それが大人になると、他者への共感で泣けるようになる。

白血病から立ち直り、東京オリンピック出場を決めた競泳の池江璃花子選手の、涙、涙のインタビューにもらい泣きするのは、まさに共感のなせるわざである。

私の記憶にある人生初の「共感の涙」は、映画「子鹿物語」を観たときだったと思う。

主人公の少年が、親とはぐれた子鹿を飼うことになる。一生懸命育てて無二の親友となるが、成長するにつれて子鹿はやんちゃになり、付近の畑を荒らすようになる。ついに少年は、自ら子鹿を撃って処分するのだ。私は小学生だったが、主人公の胸中を想像して大泣きした。

自分が涙もろいことに気づいたのもそのころだ。失恋したとき、競争に負けたとき、もちろん映画や小説にも感動してたくさん泣いた。

最近では、赤ちゃんの笑顔や、子どもが頑張っている様子を見るだけで泣けるようになった。わざわざ「涙活」なんてしなくていいのだ。

近年の研究では、泣く行為は睡眠よりも効率的にストレスを解消してくれることが分かっている。やはり涙は惜しんではいけない。

梅酒の向こうの里山

梅仕事の季節がやってきた。

5月から7月にかけ、梅の実を使ってさまざまな保存食を作る作業を、こう呼ぶ。梅が実るころに続く長雨を「梅雨」と名付けた日本人の感性からすれば、梅仕事という呼び名も、うっとうしい季節を少しでも楽しく、豊かに過ごすために考え出されたのかもしれない。

思い出すのは、子どものころ祖母の家で眺めた梅仕事の様子だ。

庭に大きな梅の木があり、毎年、たくさんの実をつけた。それをもいで縁側に山盛りにし、女たちがおしゃべりしながら作業するのである。

きれいに洗った梅の実の水気を拭い、ヘタを竹串で丁寧に取り除く。傷のあるものを選り分けたあと、青梅は氷砂糖と合わせて梅シロップ、ホワイトリカーを加えれば梅酒。追熟させて黄色くなった実は梅干しにした。

梅干し作りは、さらに手間がかかる。塩で下漬けした梅を、梅雨明けの晴れた日に天日干しする。これが「土用干し」だ。時間も手間もかかる分、できあがりが楽しみになる。何より、こうした作業を通じて、季節の移り変わりや日々の天気に気を配るようになる。

日本の四季がもたらす食文化は、彩り豊かだ。春はタケノコ。同じころにおいしくなるワカメとたき合わせる「若竹煮」は、これまた旬を迎えた山椒の新芽である木の芽で香りを添える。土手にはつくしやふきのとうが顔をのぞかせ、山ではわらびやぜんまいといった山菜が春の到来を教えてくれる。

新緑の季節はヨモギを摘んで草団子に。夏は清流にすむ鮎やイワナ、秋はきのこ。一度に実る柿は、干し柿にすれば冬の間じゅう楽しめる。渋柿を甘く変身させた「さわし柿」も、昔ながらの知恵だ。

本来、こうした手作りの楽しみは親から子へと受け継がれ、手と体で覚えるものだが、都会暮らしではままならない。マンション暮らしの私にとって、梅干しも山菜もスーパーで買うもの。山に行くのも一苦労だ。

とはいえ、日本は国土面積の7割近くが森林に覆われた森林大国である。アマゾンのような原生林は少なく、人々が手を入れながら利用してきた。

その結果、昔話に登場するような里山の風景が生まれた。集落と田畑と森林が織りなす景色には、古里を持たない人も懐かしさを覚える。

こうした人間と自然の絶妙な共存は、「SATOYAMA」という国際語になって世界の人に知られつつあると聞いた。
梅仕事の余裕はないけれど、梅酒を飲む時には里山を思い浮かべよう。

生きていれば出てしまうモノ

食べて、出す。

動物ならば種を問わず、いのちを支えるために欠かすことのできない行いである。

これを繰り返すことで私たちは生きている。単純だが、なかなかどうして奥が深い。

「おいしいね」と飲み食いしたものが腎臓や胃腸を経由して排泄物となる。いいタイミングでうまく出てくれれば幸せを感じる。思うようにいかないと落ち着かない。悪くすれば自尊心にもかかわる問題となる。

日々、私たちがトイレに行くように、猫や犬を飼う場合もトイレトレーニングは重要だ。

三重県で、信号機が根元からポッキリ折れる、という出来事があった。けが人などの被害はなかったものの、耐用年数50年の構造物が23年で倒れる事態とあって、警察が捜査に乗り出した。鉄製の柱は腐食が激しかった。科学捜査研究所が土壌を調べたところ、他の場所の40倍超の尿素が検出された。

現場周辺に張り込んだ警察官が突き止めたのは、この信号機が地域住民の飼い犬の散歩コース上にあり、多くの犬が日常的に、信号機の根元に排尿しているという事実だった。長年繰り返された排尿が信号機の寿命を縮めた――というのが、警察の見立てである。

和歌山県では、紀の川にかかる水管橋が突然、真ん中から折れるという珍事が起きた。和歌山市北部に水を供給するライフラインである。断水により14万人近い住民が、1週間近く不便を強いられた。

直接の原因は、水道管を吊り下げていた金属製の部品が腐食して折れたことだったが、専門家は、原因の一つに「鳥のふん」がある、とみている。ふんには、尿酸アンモニウムなど腐食作用のある成分が含まれているからだ。

野鳥にトイレトレーニングをするわけにもいかない。こうしたリスクがあることを踏まえて、インフラをきめ細かく点検する以外、解決策はないようだ。

と思ったら、放牧中の牛にトイレトレーニングを試みた、という論文が見つかった。ニュージーランド・オークランド大学の研究チームが生物学の学術誌で報告している。牛の尿には窒素が多く含まれており、放置すれば自然界で分解され、温室効果ガスに変わる。つまり、地球温暖化を進めてしまう可能性がある。

そこで子牛にトイレトレーニングを試みたところ、人間の3歳児と同等の効果が見られたという。

動物と共存しつつ、いかに文明生活を維持するか。たかが排泄物、されど排泄物、というお話でした。

コロナ禍の恩恵

2020年代は、新型コロナウイルスとともに幕を開けた。

20年の正月に舞い込んだ中国発のニュースは、従来とは異なるタイプの肺炎患者が武漢で相次いでいる、という内容だった。

対岸の火事を決め込む間もなくウイルスは、船や飛行機で移動する人を乗り物にして広がった。

最初の2年間はウイルスとの闘いだった。一時停戦はあるにせよ、終戦は見通せない。

「失われた2年間」を嘆くだけでなく、この間に得た気づきや価値観の変化にも目をこらしたい。

様変わりしたものの一つがビジネスだろう。

大人数の会議や出張、接待などが禁じられた。やむなくオンラインによる会議や商談、テレワークに切り替えた人の多くが、「これで済むのなら、今までの働き方は何だったんだろう?」

と感じたのではないか。

職場に長時間いることが評価される「滅私奉公」的な価値観は見直された。週休3日制を検討したり、全国どこに住んでもよく、月15万円までなら通勤費を支給したりする企業も出てきている。

もちろん、「現場」でしか成り立たない仕事はある。けれど、不合理な慣行をやめるきっかけを、コロナ禍は提供したといえる。

コンサートや公演などのイベントが大きく制限された半面、高性能な動画配信サービスが進化したことにも注目したい。地方に住む人や障害のある人にとっては、むしろ参加のハードルが下がったかもしれない。

コロナ禍は貧富の格差を浮き彫りにした一方、人間らしい利他的な行動を促すきっかけにもなった。さまざまな年齢の子どもたちが集まる「こども食堂」はコロナ下でも増え続け、全国7000カ所を超えている(2022年調査)。

レジリエンス(resilience)という言葉がある。ほんらい、物質の弾性を指す専門用語だが、心理学の世界では、逆境や困難を経て健やかさを取り戻す力、という意味で使われる。

程度の差こそあれ、誰もがつらさを共有した。幸せについて考え、生きる意味を見つめ直す時間でもあった。

さて、この闘い、いつまで続くのか。あるウイルス学者は「オミクロン株の登場は(コロナ禍の)終わりの始まり」と断言する。

ウイルスと人類は、何万年にもわたる付き合いの中で「共存」という落としどころを学んできたから、というのが理由だ。感染力を強める一方、病原性を弱め、つかず離れずの関係を築く。

予言が的中しますように。

宇宙にも多様性を

時折、棚から取り出して繰り返し読む本に『人間はどこまで耐えられるのか』(フランセス・アッシュクロフト　河出文庫)がある。

イギリスの生理学者が、さまざまな極限状況における人体の変化を理路整然と、ユーモラスに解説する。

例えば宇宙空間に生身で放り出されたらどうなるか。

「肺の空気がすべて噴き出て、血液や体液に溶けていたガスが気化し、細胞がばらばらになる……消化管が破裂して鼓膜がさけて、あまりの寒さに体が凍り付く」

気圧ゼロの真空、気温は絶対零度(マイナス273度)近い「死の世界」である。そんな場所へ行くことはないと分かっていても、怖い。

その宇宙を職場とし、月面への出張もありうる職業宇宙飛行士を、JAXA(宇宙航空研究開発機構)が13年ぶりに公募した。「若干名」の枠に4127人が応募し、書類選抜、英語試験、一般教養試験、面接、適性検査……と1年かけて絞り込まれた。

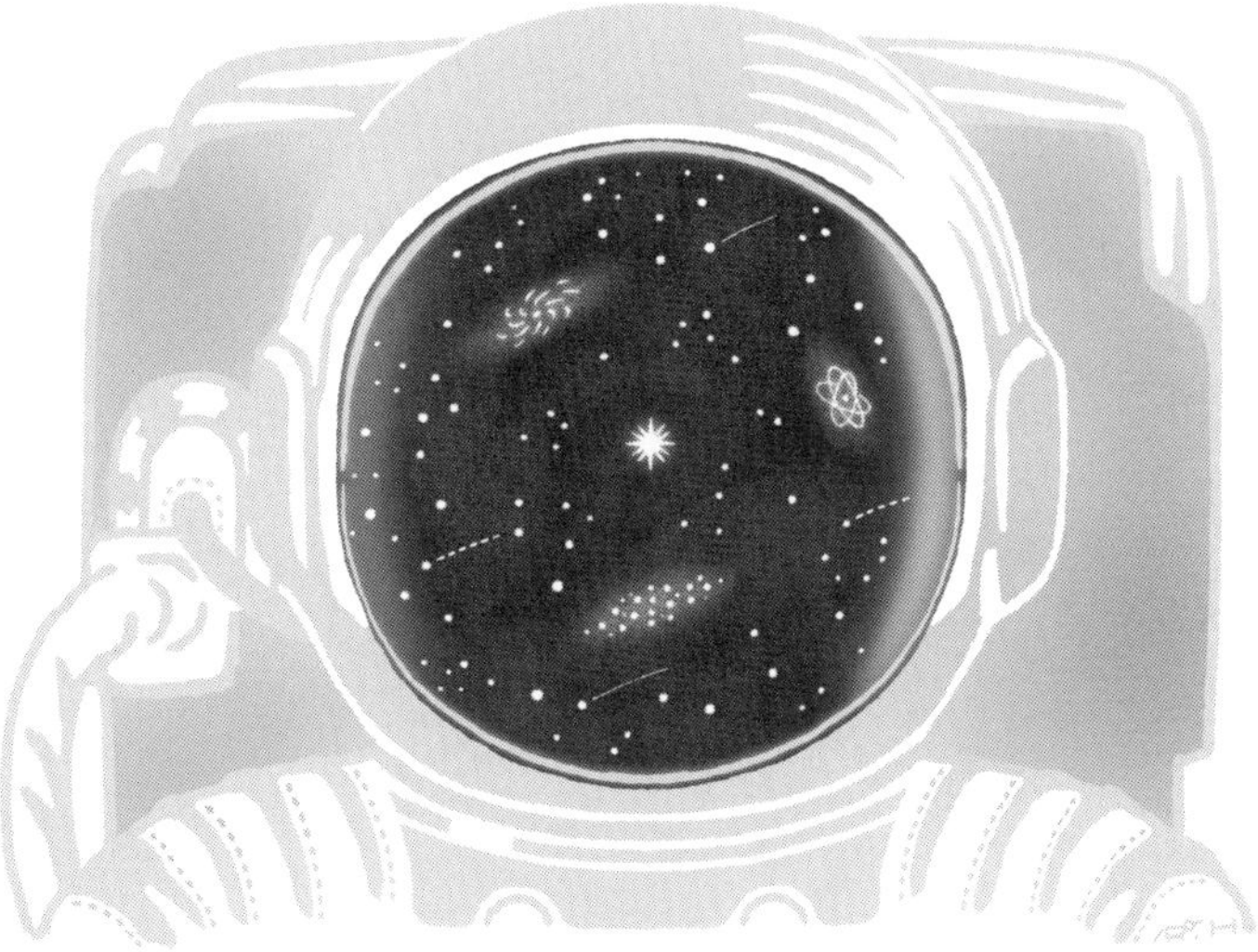

JAXAは今回、世界の宇宙機関としては初めて、「学歴不問」での募集を試みた。理系の大学を卒業し自然科学系の仕事に従事する、などの要件を撤廃したところ、前回募集の4倍以上の応募が寄せられた。約2割が女性、最高齢は73歳だったという。

人類は、宇宙という未踏の地に果敢に挑んでいく時代を経て、宇宙をどう利用するかに知恵を絞る時代に差し掛かっている。

となれば大切なのは多様性である。多様な背景や発想を持つ人たちが集まるところには、新しいものが生まれる可能性があるからだ。

これまでのように、宇宙空間に巨大な構造物を造るとか、地球上で不足している資源を求める、といった発想だけでは限界があることを、私たちはそろそろ知るべきなのかもしれない。そういう考えをいったん脇へ置き、地球の持続可能性について宇宙から思索をめぐらすような機会があってもいい。

「宇宙体験をすると、前と同じ人間ではありえない」。アポロ9号の乗組員、米国のラッセル・シュワイカート飛行士は、こんな言葉を残している。

じっさい、宇宙で地球を眺める経験は、心をさまざまに揺さぶるようだ。

地球に帰ってきた飛行士が異口同音に口にするのは、「死の世界」に浮かぶ地球の輝き、唯一無二の美しさとはかなさ。「なんとかして地球を守らなければ」という思いは、「地球を守るべき人間がなぜ争っているのか」という気づきにつながっていく。

選考の結果、20代の外科医、米田あゆさんと途上国支援の経験が長い諏訪《すわ》理《まこと》さんが宇宙飛行士候補となった。

多くの人に宇宙への門戸を開くことで、30年後、50年後の地球や人類の未来が少し変わるかもしれない。

アッコさんの宇宙

英国のロック歌手、デビッド・ボウイの「スペイス・オディティ」は、アポロ11号が月面着陸した1969年に発表され、ヒットした。

宇宙飛行が人類の夢だった時代の、飛行士の孤独を歌っている。

飛行士に選ばれたトム少佐がロケットに乗り組む。打ち上げは成功するが、燃え尽き虚脱状態となった少佐は「地球は青い。もう私にできることは何もない」と答え、交信を絶つ。

あれから半世紀あまり、宇宙はずいぶん身近になった。2021年は宇宙旅行を体験した民間人の数が、宇宙に赴いた職業飛行士を初めて上回った。400㎞上空を周回する国際宇宙ステーション(ISS)には、複数の飛行士が生活している。

その一人、カナダのクリス・ハドフィールド飛行士は2013年、この曲をISSで歌う様子を自ら動画に撮影し、公開した。

歌唱力と魅力的な映像が「宇宙空間で撮影された最初のミュージックビデオ」と話題になった。再生回数は5300万回を超えている。

現役引退後もハドフィールドさんは歌い続けている。よく聞けば、トム少佐のせりふが「地球は青い。やるべきことはたくさんある」に変わっている。憎い演出だ。

ただ、各国がやるべきことを競い合った末、宇宙は陸海空に次ぐ「第4の戦場」になった。地上の争いを持ち込むようでは愚かに過ぎる。「男性だけでなく大人の女性にも、宇宙の本当の魅力を伝えたい。できれば音楽で」と語るのは、ミュージシャンの矢野顕子さんだ。

以前から自然や宇宙に関心を持っていたが、目の手術を受けた後、星がはっきり見えることに感激し、大好きになった。野口聡一飛行士がISSから発信したつぶやきに刺激され、「宇宙から地球を眺めてみたい」と考えるようになった。

「これまで宇宙へ行った人の中にアーティストはいない。もしもシューベルトが生きていて宇宙へ行ったら、すぐに作曲を始めると思うの」

矢野さんは2023年春、野口飛行士がISSで書いた14編の詩に曲をつけ、共作のアルバム『君に会いたいんだ、とても』(ビクターエンタテインメント)を発表した。「宇宙を知ることは地球を知り、生きる喜びを培うことにつながる。その思いを多くの人と共有したい」という。

飛行士になるには泳力も必要と知り、水泳を習ってかなづちを克服した。夢の実現まで、じっとしていられない。

宇宙へ行ったら何をする? そんな想像が現実味を帯びる時代である。私も、地球を心ゆくまで眺めるだろう。

これまで取材した飛行士は全員、宇宙から見る地球の印象を口にした。音も、生命の気配もなく、濃い闇が支配する「死の世界」とは対照的に、薄い大気のベールに包まれて青く輝く地球の美しさ、はかなさ。そこに息づく命に対する、いとおしい感情。「国境なんて見えない」と語る飛行士も多い。

いっそ、主要7カ国首脳会議(G7サミット)を宇宙で開いたらどうだろう。各国の指導者は国境や国益をめぐって争うばかばかしさに気づくはずだ。その様子を、矢野さんがピアノと歌で世界に伝える。そんな楽しい想像を、巡らせてみる。

スーパーフード・昆虫

昆虫食が注目されている。

世界はSDGs（持続可能な開発目標）の実現を目指している。そこに目を付けたビジネスが生まれ、昆虫食業界にベンチャーが次々と誕生しているのだ。

世に言われる利点をおさらいしてみよう。

その1、牛や豚などの家畜と比べて早く育つため手間がかからない。その2、大量の餌や水を節約できる。その3、牛が出すげっぷは地球温暖化を加速させるが、そういった心配がない。その4、輸入する必要がなく食料安全保障にも貢献する。その5、低脂肪高タンパクで栄養価も高い。

いいことずくめ。にもかかわらず、爆発的に広がらないのはなぜか。

「虫が嫌い」という人は少なくない。見ただけでむしずが走るのに、それを口にするなど考えられない！　という気持ちは分かる。

私は、虫嫌いではない。それでも食べるとなると抵抗がある。エビやサワガニの唐揚げなら喜んで食べるのに、タガメの唐揚げはなぜイヤなのか、と聞かれても、「さあ、なぜでしょう……」としか言いようがない。

ひとの味覚は保守的だ。しかも、見た目や気分に大いに左右される。

先日出演した生番組で昆虫食が取り上げられた。予感は的中し、「スタジオで試食」という段取りになっていた。

出されたのは、コオロギパウダーを練り込んだクランチチョコ。

これなら大丈夫だなと思い、カメラの前で一口食べ「普通のチョコとほとんど変わりませんね」とコメントした。がその後、カカオとは違う香りとざらざらしたものが口の中に残って閉口した。

これが普通のチョコの数倍の値段と聞けば「やっぱり遠慮しときます」となってしまう。

地球を救うかもしれない食材なら、「意識高い系」の人々のブームで終わっては惜しい。大手食品メーカーが競って取り組めば、おいしい昆虫食の未来も不可能ではないと思うのだけれど。

帯状疱疹キター！

休みに入った途端、病気になる人がいる。

「やっと休める」と安心し油断したところをやられる。あるいは、直前まで根を詰めて働いた結果、体調を崩す。いずれにしても残念な感じ。はい、それは私です。

ゴールデンウイーク直前、人生初の帯状疱疹《たいじょうほうしん》に襲われた。私の場合、症状が出たのは右の頭部から顔面。

思えば2日前から具合が悪かった。右目の奥に違和感があり、ネットで「目の奥　痛い」と検索したら「三叉神経、あるいは脳血管疾患の前兆も」と出てぎょっとした。

翌日には肩こりと頭痛。これも右だけ。偏頭痛を疑い「朝になっても治らなかったら病院に」と思いつつ顔を洗った時、右のこめかみの「ぶつぶつ」に気づいた。

左右どちらかだけに発疹？　これは帯状疱疹でしょ、と思い当たり、出社前に受診したらビンゴ。抗ウイルス剤、痛み止め、軟膏などを処方され、すごすごと家に引き返す。いや、実のところ少し心が弾んだ。仕事でも学校でも、病気が分かって休む局面というのは、なんだか妙にうれしいものだ。

何より、次々と現れる不調に診断がついただけで、半分治ったような気になるのは不思議である。

疱疹はまぶたに及び、みるみる「お岩さん」状態になった。外出もままならないが仕事は山積み。連休まではテレワークで切り抜けた。「疲れとストレスがたまってるんじゃない？」「気力はあってもトシなんだから」と、たくさんの人から慰めや励ましをもらった。

本当に無理のきかない年齢になった。仕事の代わりはいくらでもいるが、自分の命は一つしかない。自分で守るほかない。禁酒して3食きちんと自炊、早寝早起き、朝風呂……と、絵に描いたように健康的に過ごしたおかげで、症状はなんとか治まった。

これじゃ「コロナ下」と変わらないよ。とほほ。

痛むから生きている

帯状疱疹発症から2週間。薬が効いたようで、外見はほとんど元通りになった。

この病気、子ども時代にかかった水ぼうそうのウイルスが「再燃」することで起きる。きっかけは疲労などによる免疫力低下だ。加齢もリスク要因の一つとされる。

一度やっつけたつもりのウイルスが体内に潜んでいて、暴れ出すチャンスを虎視眈々とうかがっていたなんて、すごい話である。私の場合、10歳のころ水ぼうそうにかかったから、潜伏なんと45年！

急性期を乗り切ったら、次は後遺症が心配になってきた。「帯状疱疹後神経痛」というやつだ。皮膚症状が治まった後も、つらい痛みが半年以上続くという。

痛み。ややこしい存在だ。平時にはその存在すら忘れている場所が、痛むことで強烈に意識される。痛むとつらい。治まっても、「また痛むのでは」という心理が働いて、気力が減退する。

ただし、痛みは生物が生きていく上で不可欠なシグナルである。

もし大けがをしても痛みを感じなければ、出血多量や感染症で命取りになりかねない。今回の病気だって、経験したことのない種類の痛みに驚いて受診したからこそ、大事に至らずに済んだのだ。

痛みを科学的に定義すれば、「外界から受けた刺激を察知し、それを避けようと自らを守る行動につなげる重要な情報」ということになる。

一方、医療の現場では、痛みをいかに取り去って楽にするかが問われる。痛みは、病む人のQOL（生活の質）を下げるからだ。

指先に、見えないほどのトゲが刺さっただけで「痛い！」と感じる。人間が持つこの鋭い感覚には確かに、奥深い仕組みが潜んでいそうだ。

2021年のノーベル医学生理学賞を思い出した。トウガラシを「辛《から》い！」と感じる時に働くたんぱく質を特定した科学者が受賞した。

この「辛い」、実は「痛い」感覚と機構が共通しているという。

ゾウに踏まれたような

視覚、聴覚、嗅覚、味覚、触覚。「五感」と呼ばれる感覚を使って、人は自分の周りの環境を把握している。

五感を通して受け取る情報は、他者と共有することができる。雷鳴に驚いたり、「変なにおいがする」と注意を促したり、小動物を触って「もふもふ～」と喜んだり。

一方で、五感に含まれない「痛覚」は、共有することが難しい。親友と同じ景色を眺め、ごちそうを食べて感動を共有できても、その親友が抱える痛みを、自分の痛みとして感じることは難しい。痛みは極めて主観的なのだ。

患者の痛みを医師が少しでも共有できるよう考案された表がある。マギル疼痛《とうつう》質問票というものだ。

ズキズキ、チクリ、ヒリヒリといった定型表現から、「槍で突かれるような」「ぞっとするような」「もだえ苦しむような」という文学的なものまで、78種類の表現が用意されている。

語彙の少ない子どもには、人の顔を模したマークの中から近いものを選んでもらい、その表情で痛みの程度を推し量る方法もある。

不思議なもので、「痛いね、かわいそうだね」と同情してもらうだけで楽になる痛みもある。痛覚には心理的な要素も大きいのだろう。

痛みの中で、未経験者には理解しづらいものの一つが陣痛や出産の痛みだ。

「鼻からスイカが出るような痛み」という喩えがあるが、経験者に言わせれば「そんな生やさしいものではない」そうだ。

ネットで検索したら、出てくる出てくる。「生理痛の1万倍」。これでは男性には分からないかも。「ゾウに踏まれたような」「ジェット機が突っ込んだような」。リアルです。「雷が全身に落ちたような」。これも想像するだけで脂汗がにじむ。

その分、出産直後は解放感に満ちている。「深刻な便秘が解消したような」「のどに詰まったグレープフルーツが取れたような」。ゴールが見えるからこそ耐えられる、という側面もありそうだ。

この痛みを乗り越えて命を生み出すお母さんは本当に強い生き物だと思う。

もっと高く、さらに遠く

登山界最高の栄誉「ピオレドール生涯功労賞」を受賞した山野井泰史さんに会った。「金のピッケル」を意味するこの賞は、生涯を通じた活動がめざましく、次世代に影響を与えた人に贈られる。アジアからは初の選出だ。

「今までの受賞者は偉大な人たちばかりで驚きましたが、みんなが喜んでくれて、幸せそうで良かった」

1965年生まれ。11歳で見た山岳映画に衝撃を受け、登山に没頭した。定職にはつかず、スポンサーにも頼らず、世界中の未踏峰にたった一人で挑んできた。

重力にあらがい、技術と体力と判断力で頂《いただき》を極める。「天国に一番近い男」「孤高のクライマー」の異名もある実物の山野井さんは、想像以上に小柄で、穏やかで、朗らかな人だった。

大勢のチームで大量の装備とともに少しずつ高度を上げていく「極地法」を取らない理由について、こう語った。

「独りで計画して、山に行って深い雪をかきわけ、岩壁を登りきる。大きな達成感、充実感を独り占めできるのが魅力かな」

転機は2002年、37歳で挑んだヒマラヤのギャチュンカン北壁だ。登頂は果たしたが下山中に嵐に遭い、凍傷で手足の指10本を失った。

登山家人生をふいにするほどの挫折も、新たな発見をもたらしたという。

「ラッキーとは言わないけれど、面白い人生になりそうだなと。初心者の状態からレベルを上げていける。しかもかなりのレベルに戻った。僕は天才かもしれない」

一番聞きたかったことを尋ねた。独りならいつでもやめられるでしょう。なぜ挑戦を続けるのですか？

「諦めた自分が耐えられないのです。怖いけど、敗退するかもしれないけれども、とりあえず一歩は踏み出したいと思います。登る山を決めた後も、写真を見ながら何日間も自問自答します。おまえは本当にそこに行きたいのか？　功名心でなく心から行きたいのか？　と」

楽観主義と臆病さ。一見、両極にありながら、冒険家や探検家に共通する資質だ。怖い。死にたくない。でもやってみたい。できるはずだ。やるしかない。

探検家の角幡唯介さんは、冒険・探検をこう位置づける。

「常識や科学知識……網の目のごとく構成されている現人間界のシステムの外側に飛び出すこと」（『極夜行』文藝春秋）

文明というシステムに守られ逃れられないからこそ、私たちはそこを飛び出した人たちの物語に引きつけられる。人間がいかにか弱いかを知ると同時に、その底力に心を動かされる。

植村直己も星野道夫も40代で世を去った。山野井さんは生還し、2度目の人生を生きている。だからこそ語れる唯一無二の物語を、これからも聞きたい。

私でもまねできそうなのは「憧れる」ことだ。古語では「あくがる」。魂が体から離れ、さまよう様子を表す。

未知への憧れは、旅や冒険や挑戦への駆動力となる。山野井さんは自伝『垂直の記憶』（ヤマケイ文庫）に記している。

「僕は理想のクライマーを追いかけ、近づこうと試みる。そこには登攀史も名誉も何も関係ない。僕はただ憧れているだけだ」

雲を知り、愛する技術

夏空の主役は雲だ。わた雲、入道雲、すじ雲。さまざまな雲が競い合い、いっときも同じ景色はない。眺めるうち、山村暮鳥《ぼちょう》の「雲」という詩を思い出した。

おうい雲よ／ゆうゆうと／馬鹿にのんきさうぢやないか／どこまでゆくんだ／ずつと磐城平の方までゆくんか

中学時代の、忘れられない授業がある。国語のK先生は黒板に大きな字で題名を書くと「まず、ぼくが読むからね」と、教壇に仁王立ちし、廊下側のすりガラスが震えるほどの大音声で朗読した。

「おうい」ではなく「おーーーーーーい！」である。面食らう生徒を前に「これぐらい大声でないと、雲に届かないだろう」と、さも愉快そうに笑った。

どこまでゆくんだ、と呼びかけた暮鳥は胸を病み、1924（大正13）年、40歳で亡くなった。磐城平には、かつて伝道師として勤めた教会があったという。死の床から雲を眺めたのだろう。

この詩を収めた詩集の刊行を見ぬまま旅立った。

科学的に説明すれば、空に浮かぶ水滴と氷の粒の集合体が雲である。白く見えるのは、その粒子が光を散乱させるからだ。

空気の塊が水分を含み、飽和状態を超えると雲ができる。そこから落ちてくる水が雨や雪になる。雲は天気を左右すると同時に、地球規模の水の循環を担い、命の営みを支えている。

「とても身近で欠かせない存在なのに、分からないことだらけなのです」。気象庁気象研究所で天気予報の精度向上を研究する荒木健太郎さんは言う。

いま、チームで取り組んでいるのが、積乱雲が連なり局地的な大雨を降らせ続ける「線状降水帯」の発生予測だ。

2022年度、集中観測が始まった。雲に水蒸気を供給する海上には観測網がなく、低い空で発生するため、線状降水帯は気象衛星でもとらえにくい。そもそも、積乱雲は前線や台風といった1000㎞単位の気象現象に比べてけた違いに小さいため、予測に向けた計算技術も確立していない。

けれど、気象学の大きな使命は災害から人命を守ることだ。

鬼怒川が氾濫した15年の関東・東北豪雨の前年、荒木さんは地元の中学校や自治体で集中豪雨への注意を呼びかけていた。それでも災害が起きた後、「まさかこんなことになるとは思っていなかった」と聞かされた。

せめて日常から気に掛けてほしいと、荒木さんは「雲愛《くもあい》」を提唱している。雲を見て楽しむ習慣と基本的な知識を身につけておけば、天気の急変から身を守れるのではないかと考えるからだ。

研究と並行して、雲をめぐるさまざまな話題を、魅力的な画像とともに発信してきた。基礎知識を網羅した総ルビの『すごすぎる天気の図鑑』(KADOKAWA)は、続編を含め40万部超のベストセラーになった。荒木さんが「雲友《くもとも》」と呼ぶツイッターのフォロワーは30万人を超える。「雲はもはや、僕の人生です」と荒木さんは笑った。

どんな理由でもいいから、空を眺めてみよう。雲に話しかけてみよう。おうい、おうい。君の名は。どこから来て、どこへ行くんだい。

雲はいろんなことを教えてくれるはずだ。

3

科学の光と闇を生きた学者

台所から世界へ

2019年に亡くなった緒方貞子さんの追悼番組で、印象に残った一言がある。

「台所から参りました」

41歳で国連総会に初参加した緒方さんが、こう自己紹介したというのだ。

当時は家事と育児に追われ、国際的には無名だった。後に国連難民高等弁務官として世界の紛争地を歩き、指導力を発揮した仕事人のイメージからすれば意外な表現だが、実のところ、これが緒方さんの原点だったかもしれない。

前例にとらわれず、権威にひるまず、人としてなすべきことを優先した。理屈や大義より、目の前で震える人々に毛布と温かい食事をどう届けるかを考えた。

その判断力と行動力は、台所を取り仕切り、家族の健康を預かる母親の姿と重なる。

「台所感覚」で世間を見れば、無理や無駄がいかに多いか見えてくる。

日本の年間予算は約100兆円だが、実収入は6割しかない。積もり積もった借金は1000兆円超に膨らみ、子や孫にそれを負わせる。家計なら立派な落第点。感覚が鈍麻している。

女が台所にいる間に、日本の表舞台は男ばかりになった。男たちは、二言目には「女性のいい人材がいない」と言うが、本気で探しているのか。緒方さんを台所から連れ出したのは、市川房枝ら先輩世代の女性たちだった。

23年に公表された、男女平等度の「ジェンダーギャップ指数」によれば、日本は146カ国中125位。過去最低の順位だった。緒方さんなら、現状をどう評するだろう。

国際協力機構の理事長時代、女性活躍に関する見解を問われ、こんな皮肉で応えたという。「日本企業が居場所をなくしてくれたおかげで、国際協力の現場に優秀な女性がたくさん来ています。ありがとう」

その名を愛せる日は

社会のひずみは、より弱い立場の人に表れる。富む者より貧しい者に、大人より子どもに、男より女に。

一般社団法人「Colabo（コラボ）」代表の仁藤夢乃さんに会った。コロナ禍で自粛ムードが広がる中、家にも学校にも街にも居場所をなくした少女たちに、休息と食事、安心して眠れる場所を提供している。

LINEへの相談が絶えない。「ネットカフェが閉まって泊まる所がない」「バイト先から解雇されて生活できない」。2020年4月に緊急事態宣言が発令されてから1カ月で200人近くに上った。それでも氷山の一角だろう。

「SNSに『今夜泊めてくれる人？』ってつぶやけば、すぐに男が声をかけてくる。この子たちが性被害にあう前につながりたい」。いつもの人なつこい笑顔が、曇った。

コラボを作ったのは11年、仁藤さんが大学生の時だ。渋谷にたむろする女子高校生に声をかける活動を始めた。

さまざまな理由から家を飛び出し、帰る場所も金もない少女たちは、苦境につけ込む形で大人に「スカウト」され、性的に搾取される例が珍しくない。仁藤さんは彼女たちを自宅に泊め、一緒に食卓を囲んだ。

多くは複雑な事情を抱えている。実の親からの虐待。親の顔を知らず、養護施設での折り合いが悪くなった少女や、「JK(女子高生)ビジネス」で稼いだお金で家計を助ける少女もいる。傷つき、人間不信に陥り、自尊心を持てず自暴自棄になっている姿は、高校時代の仁藤さん自身に重なった。

家にほとんど帰らず、渋谷で過ごす「ギャル」の一人だった。女子高生とみれば、男たちが猫なで声で誘ってきた。

夢乃という名も誕生日も嫌だった。「夢なんてないのになぜそんな名前をつけたのって。コラボへ来る子の多くも、誕生日が嫌いです」

転機は高校を中退した後だ。自分を受け入れてくれる大人たちと出会った。18歳の時、同行したフィリピンで、自分と同じ「ユメノ」という名の店を見つけた。現地の貧しい少女たちが日本風の名を名乗り、片言で日本人客の相手をしていた。

反射的に「この日本人を知っている」と思った。渋谷で少女に声をかけ、性的に消費する大人たちだ。「非行少女」とレッテルを貼って眉をひそめる前に、彼女たちを買う大人たちや社会が変わらなければおかしい。

コラボの活動は広がっている。一時的に身を寄せるシェルター、経済的自立まで共同生活するシェアハウス、ピンク色のバスを渋谷や新宿・歌舞伎町に止めて食べ物や衣類を提供する「バスカフェ」……。

当事者もアイデアを出し、活動する。「自分の人生を歩めるよう、一緒に考えたい」という仁藤さんの思いが、実を結びつつある。

人間らしくあること

南極観測から帰国した知人を囲む会に、オンラインで参加した。さまざまな話題の中で印象に残ったのは、滞在の折り返しに当たる2019年8月、軽いうつ状態に陥ったというエピソードだった。

「自ら望んで参加したのに、意外だった」と彼自身が振り返るその不調は、一日中太陽が昇らない極夜という悪条件も重なった。「連日の嵐で外に出られず、最低限の業務と食事の時以外は、寝てばかりいた」という。

14カ月間の任務を終えて帰国したら、今度はコロナ禍で社会が一変していた。自粛ムードの中、動き回れば他人からとがめられる。その居心地の悪さを彼は「南極に帰りたくなったくらい」と表現した。

世界から「不可思議な成功」とも評される日本のコロナ対策。強制力を伴わない行動抑制で深刻な感染爆発を抑えた背景の一つには、「三密の回避」など専門家の助言を国民が忠実に守ったこともあるのだろう。

振り返れば、東日本大震災と原発事故の後、専門家への信頼は大きく損なわれた。東北沖で海溝型地震が起きることは予測されていたが、マグニチュード9・0という規模や大津波を正しく予見できた専門家はいなかった。

まして、原発事故を正確に予言した人は皆無だ。炉心溶融した原発の扱いにも、飛散した放射性物質がもたらす未来にも、専門家は的確な答えを示せていない。

だから、専門家が信頼される昨今の様子は隔世の感がある。だが、助言に従った結果、暮らしは大きく様変わりした。食卓をにぎやかに囲むことや、老いた親に会いに行くことや、病む人に寄り添って苦しみをやわらげ、みとることすら難しくなった。

他者を遠ざけることで身を守る「新しい日常」は、科学的には正しいかもしれない。一方で、たわいないおしゃべりや小旅行、友人たちと食卓を囲む行為が「不要不急」と片付けられることへの違和感は拭えない。

人間はそれほど合理的ではない。そして孤独を恐れる生き物だからだ。

緊急事態宣言の発令前に見た映画を思い出した。「世界一貧しい大統領」で知られる南米ウルグアイのホセ・ムヒカ元大統領に密着したドキュメンタリー（「世界でいちばん貧しい大統領」）である。

農園で妻と犬とつつましく暮らし、収入の大半を貧しい人々の住宅建設に寄付する「清貧」ぶりと、そこに至るまでの波乱に満ちた半生を描く。

ムヒカ氏は80年余の人生で4度収監され、2度脱獄している。軍事独裁政権に強いられた13年間の独房生活では一切の交流を絶たれ、アリに話しかけるほどに病んだ。

究極の孤独と向き合う中から見いだしたのは「生きている奇跡」だったという。科学書や哲学書を読みあさり、生きる意味について考えた時間が、揺るぎない思想に昇華した。

喩えるなら地中深く、高温・高圧の環境でダイヤモンドが生まれるような変化である。コロナ禍を生きる私たちはどうだろう。

「人間より強い生き物はいない」。ムヒカ氏の言葉だ。

かなしみを語りつぐ

洋画家、野見山暁治さんの著書を、続けて読んでいる。『じわりとアトリエ日記』(生活の友社)には、「日本一忙しい90代」とからかわれながら膨大な依頼に応え、展覧会を歩き、カンバスに向かう日々がつづられる。

編集者、記者の訪問もひっきりなしだ。歴史を知らない若い記者に平和を語り、「この年で精力的に描く理由は」という無邪気な質問に目を白黒させる。そんな記述に、かつての自分を見るような気がして赤面した。

駆け出しのころ、野見山さんのアトリエを訪ねたことがある。福岡県出身の野見山さんは、玄界灘を望む糸島半島にもアトリエを構え、毎年夏はここで過ごしていた。

行ったのは確かだが、取材の内容をさっぱり思い出せない。私は無知で未熟で、巨匠を前に気後れしていた。それがばれないよう、必要最低限のことを聞き、そそくさと帰ったのだろう。

唯一、鮮やかに覚えているのは、海に面した大きな窓ガラスに張られていた、鳥が飛ぶ様子をかたどったシールだ。

これは？「鳥がよくぶつかって死ぬんだよ。かわいそうだなあと思っていたら、外国ではこれを窓に張って、近寄らないようにしているって、知り合いが送ってくれたんだ」。小さな命に心を寄せるひと。そんな印象が私の中に刻まれた。

戦争の記憶の継承が危ういという。２０２０年は戦後75年だった。「０」で終わる周年ではないのに注目されたのは「4分の3世紀」という節目だからか。４００ｍトラックなら最終カーブを曲がったところ。だが、１００年の地点でバトンを渡せる走者がいない。

野見山さんは、戦地に赴いた世代だ。東京美術学校（現・東京藝術大学）を繰り上げ卒業して応召した。旧満州の国境近くで病気になり、福岡の療養所で敗戦を迎えた。

「一番つらかったのは美校時代」という。日中戦争のさなか、芸術を志す若者に対する世間の視線は冷たかった。

卒業と同時に召集されることは分かっていた。「死刑の執行猶予みたいにあと半年、あと1カ月と追い立てられるように描いた」

戦後、渡仏し、迫力に満ちた抽象画で名声を築いた野見山さんが、帰国して取り組んだのが、戦没画学生の遺作収集だった。

「もっと描きたい」と願いながら死んだ画学生たち。これはもう一人のぼくだ。遺族と向き合い、生き残った者の責任を感じた。寄付を呼びかけ、遺作を展示する長野県上田市の「無言館」開設を支えた。

野見山さんが装画を手がけた絵本『でんでんむしのかなしみ』（新美南吉　星の環会）を開く。

皇太后の美智子様が記憶に残る物語として紹介したことでも知られる。

自分の殻に悲しみが詰まっていることに気づいたカタツムリが友達を訪ね歩くが、どのカタツムリも「わたしのせなかにもかなしみはいっぱいです」と答える。

遺族を訪ね歩いた野見山さんの姿が重なる。皆が悲しみを背負っている。ならば、悲しみを引き受けて生きるのが、残された者の務めではないか。

戦争を知識として知っているだけでは、知らないのと同じだと、私はようやく理解した。

野見山さんは23年6月、１０２年の生涯を生き切って、亡くなった。

「水の惑星」で生きる

ひとの思考には二つのタイプがあるという。コップに半分まで入った水を「もう半分しかない」と嘆く人、「まだ半分ある」と前向きに考える人。アフリカで医療支援に取り組む川原尚行さんは、「まだ半分ある」の人だ。

理事長を務めるＮＰＯ法人「ロシナンテス」の拠点、スーダンがコロナ禍に見舞われ、予定する事業がことごとく停滞した。そこで川原さんたちは現地政府と連携し、感染防止対策の啓発事業を新たに始めた。

一時帰国中に日本で緊急事態宣言が発令され、スーダンに戻れなくなると、「俺、医者やけど人手が足りんなら何でもしますよ」と地元の市役所に申し出た。「北九州市新型コロナウイルス感染症対策専門官」の肩書を与えられ、県との調整や高齢者施設の感染防止対策に走り回った。

「目の前に困っている人がいたら助ける」がモットー。情に厚かった祖父の背中が、川原さんの原点だという。

スーダンとの縁は２００２年にさかのぼる。外務省医務官として現地の日本大使館に赴任した。ダルフール紛争を理由に、先進国は経済支援を打ち切っていた。

そんな中、日本人の診察だけを仕事にしている自分に気づく。「これでは目の前で苦しんでいる現地の人を助けられない」と転身を決めた。

１７００万円の年収と肩書を返上し、06年に支援団体を作った。名前は『ドン・キホーテ』に登場するやせ馬、ロシナンテからもらった。

無医村への巡回診療から始めた。集落の長にあいさつに行くと、お茶を勧められる。雨水のような濁った水の時もある。我慢して飲み、何度もおなかを壊した。

やってくる患者の多くは感染症だ。「水をきれいにすれば病気も減る」と気づいた。活動の柱に「きれいな水の確保」が加わった。

「水の惑星」と呼ばれるこの地球で、自由に使える淡水は全体の0・01％しかない。国連児童基金（ユニセフ）によれば、世界で30億人が手洗い設備のない家に住む。5歳未満の30万人が、不衛生に起因する下痢症で毎年亡くなっている。

スーダンでも、人口の約半数が清潔な水を手に入れられない。水くみは子どもの仕事だ。タンクをロバの背にのせ、1時間歩いてため池へ行く。ロバが放尿する傍らで水をくみ、飲み水として使うのだ。

きれいな水を飲めるよう、川原さんたちは池を柵で囲い、現地で調達できる石や砂のフィルターで浄化する方法を考えた。1000万円の寄付金を得て工事のめどが立ったが、コロナ禍で延期になった。

「現地に行けないのが心苦しい。今は耐える時」。諦めない、も川原さんの信条だ。

ある村では井戸を掘った。太陽電池でポンプを動かし水をくみ上げ、管理を住民に委ねた。「きれいな水」からの発想で、京都の清水寺の支援を得た。

誰よりも水くみから解放される子どもたちが喜んだ。ある少女は「学校に行って医者になりたい」と語った。

井戸の完成式の写真を見せてもらった。はにかむ少女の横で、川原さんがくしゃっと笑っている。

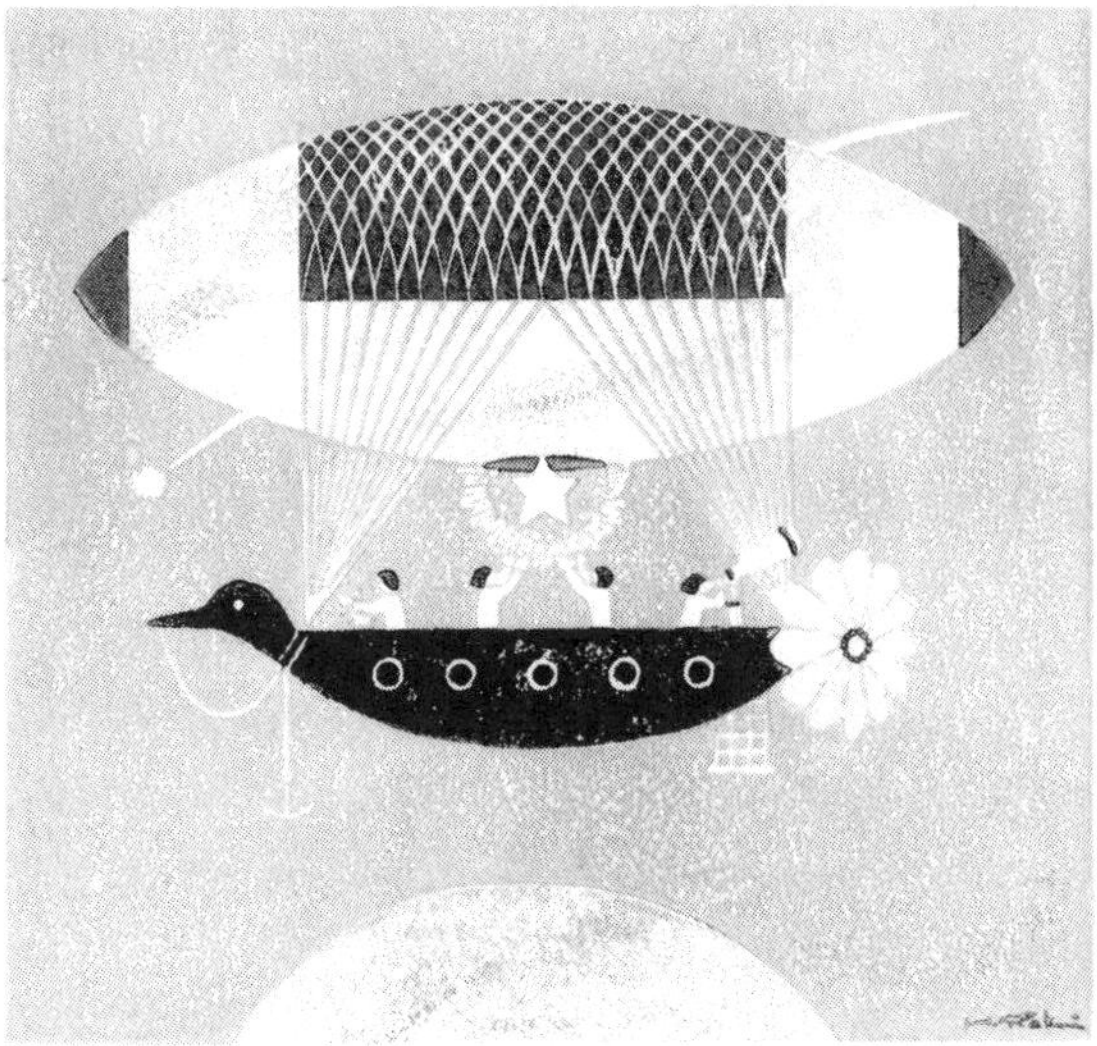

役に立つ？　立たない？

1939年、ニューヨーク万博の開幕行事に招かれた物理学者のアインシュタインは、「失敗の喜劇」と呼ばれる事態に巻き込まれる。

世紀の天才を一目見ようと大勢の観客が詰めかけたが、宇宙論に関する難解な講演を理解できなかった。マンハッタンから飛んでくる宇宙線を検出してみせる実験も、失敗に終わった。

翌日のニューヨーク・タイムズは「大衆は科学より拍手喝采できる見せ物が好きだ」と論評した。

『「役に立たない」科学が役に立つ』（エイブラハム・フレクスナー、ロベルト・ダイクラーフ　東京大学出版会）が紹介するこのエピソードに、科学と社会を隔てる溝の深さを思う。そして思い出したのは15年近く前の、「バナナワニ」の話だ。「バナナワニって知ってる？」

東京・六本木にある日本学術会議の会長室で、私は金澤一郎さんからの質問に戸惑っていた。静岡県にある、熱帯の動植物（バナナやワニ）を展示するレジャー施設、熱川バナナワニ園の名前を引きながら、金澤さんはこう説明した。

「バナナワニって初めて聞く人は、新種のワニかと誤解するでしょう。科学技術もバナナワニみたいなものです。次元が異なる科学と技術とを、無理やりくっつけて使う。分かりやすいけれど、危ないよね」

科学の成果と、技術が生み出すイノベーションは必ずしも直結しない。にもかかわらず、両者をセットで考えることは、「科学は役に立って当然であり、役に立たない科学はムダ」という結論につながりかねない。金澤さんはそのことを懸念していたのだ。

とうてい役に立ちそうもない科学が、長い時間を経てイノベーションを起こす場合もある。便利な暮らしの必需品となったカーナビ。生じる誤差を解消するために、アインシュタインの相対性理論が使われている。この理論が生まれたのは１９０５年。となれば、科学に対する短絡的な要不要論は、慎む方が賢明だ。

２０２０年秋に表面化した学術会議と政治との対立には、「役に立たない学問」に対する、政治の陰険な視線を感じる。

首相官邸は、法学者ら会員候補６人の任命を拒んだ理由を決して明らかにしようとしない。この状態が続けば、アカデミアの中には、政治の思惑をそんたくして振る舞う人も出てきかねない。

とはいえ、この問題に対する世間の関心が低いのも事実だ。「学術会議なんて何をしているのか知らないし、いったい社会の役に立っているの？」というのが、多くの人の本音だろう。

科学や学術は本来、ややこしくて素人にはとっつきにくい。スポーツや芸術と比べて、世間を味方につけることが圧倒的に難しい。だからこそ私は思う。そんなことに目を輝かせて向き合っている人々がいてくれて有難いと。

問題が表面化した直後、2日間で10万超の抗議署名を集めた科学者有志の記者会見を聞いた。その一人がこう語った。

「研究はポケットマネーでやる趣味ではない。自由な研究を通して、事が起きた時に役立つかもしれない処方箋ができる。その膨大な処方箋を集約して、社会に発信する仕組みの一つが学術会議です」

学者が社会へ働きかける努力はもちろん必要だが、私たちも科学や学術に対する一面的な見方を改める必要があるのではないか。

科学は見せ物でもなければ、すぐに役立つ便利グッズでもない。でも、何か困りごとが起きた時には道を照らしてくれる、頼れる存在になりうるのだ。

原発が「戦場」になった

ウクライナにロシアが侵攻した。

人々が歩き、笑い、暮らした街に砲弾が降り注いだ。子どもを含む大勢の市民が死んでいる。犠牲は日ごとに増える。

なぜ。なぜ。怒りと悲しみの感情がわいてくる。ウクライナの人々は、同じ問いをその何十倍も繰り返していることだろう。

この「なぜ」には答えがある。ウラジーミル・プーチンという指導者の、時代錯誤の野望のオモチャにされている。

まさかこんなことはするまい、と世界が考えたことの全てを、プーチン氏はやって見せる。「ロシアの国際的な評価をこれから何年にもわたって低下せしめた指導者として罵倒され続け、記憶されるであろう」。評論家、保阪正康さんはそう非難している。

怒りと悲しみに、恐怖が加わった。南部のザポリージャ原発で交戦が起き、ロシアが制圧した。6基の原子炉を持つ欧州最大規模の発電所である。制圧と言うが、「人質」に取られたわけだ。定期検査などで停止中の炉があったにせよ、冷却が必要な原子炉と大量の使用済み核燃料とが、ロシア軍の支配下に入った。

2011年に事故を起こした東京電力福島第一原発にも6基の原子炉があった。地震と津波で外部電源が失われ、冷却できなくなった結果、炉心が溶けた。やがて水素爆発が起き、国境を越えて放射性物質が飛散した。

その量はそれでもチェルノブイリ原発の事故を大きく下回った。専門家によれば、ザポリージャ原発が爆発すれば「規模はチェルノブイリ事故の10倍以上」という。欧州どころか地球規模で長期的な被害をもたらすだろう。

原発が戦場になるという事態の深刻さを、私たちは見据えなくてはならない。「原子力の平和利用」という美辞麗句も、一人の男に簡単に握りつぶされてしまいかねない。

さらに悪いことに、あの男は「核のボタン」も自由にできるというのだ。

核使用の危機

ウクライナ侵攻を指示したロシアのプーチン大統領を、独裁者ヒトラーになぞらえる人が多い。恐怖政治によって周囲を服従させる。自らの歪んだ野望をかなえるため、大量殺りくも辞さない。こうした手法は似通っている。

しかし、ヒトラーは核兵器を手にすることはなかった。第二次世界大戦中、ナチスドイツが原爆開発を進めたが、実現する前に連合国に敗れた。

かたや、ロシアは世界最大の核保有国であり、それを自由にできるのがプーチン氏である。

ストックホルム国際平和研究所によると、ロシアには解体前のものも含めて５８８９発の核弾頭がある（２０２３年）。2位の米国より約６００発多く、世界の核弾頭の47％をロシアが保有している。

国連のグテーレス事務総長は「かつて考えられなかった核戦争が、今や起きうる」と警鐘を鳴らしている。無理もない。地球上最も危ない男に、その運命が握られているのだ。

ロシアは侵攻直後、ウクライナにあるチェルノブイリ原発を占拠した。さらにプーチン氏は、核攻撃を担当する軍部隊に「戦闘態勢」を命じた。

何かあれば核を使うぞと脅しをかけ、ウクライナだけでなく世界を黙らせようとしている。卑怯なやり方である。

「朝日歌壇」で、こんな短歌を見つけた。


復縁をせまる男にしか見えぬウクライナめぐりプーチンの顔(四方護)

同じことを考えていたので、思わず切り抜いた。

ウクライナは1991年のソ連崩壊に伴い独立を果たした。軍縮を進めつつ、経済再建を目指してきた。

そうした自立への歩みを、プーチン氏は30年もの間、猜疑心《さいぎしん》をもって見つめていたのだろう。

去って行った恋人を何としても取り返し、意のままにしたい。小心と野心とプライドをこじらせた男の悪あがきとしか思えない。

まったく、見るに堪《た》えない。

黄色いバラを買って

「ポケットにひまわりの種を入れておきなさい！　あなたが死んだ場所で咲くように」

小柄な初老の女性が、武装した若いロシア兵の前に仁王立ちして訴えている動画を見た。ウクライナで撮影されたシーンだろう。

ロシアによる非道な侵攻の断面を伝えるおびただしい映像が、マスメディアを介さない形で世界にあふれた。映し出されるのは、まさに「いま」を必死で生きる人々だ。

愛する家族と別れ国外へ逃れる人々。ロシアの執拗な砲撃にさらされながら生きる人々。祖国のために闘おうと立ち上がる人々。

一つ一つの声が心を揺さぶる。それでも、プーチン大統領を翻意させることはできていない。

思い立って東京・西麻布にあるウクライナ大使館を訪ねた。自宅から歩いて行ける距離である。麻布十番の商店街で花を買った。店頭にひまわりはなく、黄色いバラを選んだ。

「私はケニアからバラを輸入しているのですが、この戦争で空輸が途絶えてしまいました」と店主が言う。こういうところにも戦争は影を落とすのだと知った。

閑静な住宅街にある大使館には、既に数人の弔問者がいた。急ごしらえの献花台に、たくさんの花が供えられている。青と黄の国旗をあしらったメッセージカードに「世界が平和でありますように」と英語で書き込み、かごに入れた。

もう1枚、同じことばを書き込んだカードを持って私はロシア大使館に向かった。

歩くこと30分。警官の数が増え、目的地が近いことが分かる。見上げるように高い塀に囲まれた巨大な大使館には、献花台はもちろん、カードを託す場所もない。道路を隔てた場所から「ロシアは戦争をやめろ！」と抗議する人々の声が響く以外は、しんと静まりかえっていた。

増え続けるロシア兵の犠牲、そして経済制裁にあえぐ国民の声は届いているだろうか。

戦争は絶対に許しません

ウクライナに侵攻したロシアの戦費がすごい。

英国の調査機関の推計が新聞に載っていた。侵攻直後は1日あたり70億ドル、その後は200億ドル超に膨らんでいるという。

1ドル＝120円で換算すると8400億～2兆4000億円超。1日あたり、ですよ。

ちなみにロシア政府の歳入は31兆円あまり。1カ月で年間の収入を使い切る勢いである。

短期決戦のつもりで侵攻したものの、ウクライナの反撃や士気の低下で長期化している。米欧日の経済制裁も加わり、ロシアの財政は火の車だろう。

この数字だけで、戦争がいかに愚かか一目瞭然である。誰も幸せにしていない。

国際的な「貧困ライン」とされる1日1・9ドル未満で暮らさざるをえない貧しい人々が、地球上に7億人いるという。カネの使い方を間違っていないか。

ロシアだけではない。世界中の国が疑心暗鬼になり、軍事費を積み増している。武力の増強こそ国益にかなうと考えているようだ。

ストックホルム国際平和研究所によると、2020年の世界の軍事支出は前年より2・6%増えて約2兆ドル（240兆円）に上った。経済が止まったコロナ下でも増え続けているという。

私は戦争には反対だ。国が人命を奪うことなど許せないからだ。

「国は他国の攻撃から国民を守る責任がある」という理由も腑に落ちない。それを持ち出して思考停止する前に、話し合いで「戦争しない地球」をなぜ作れないのだろう。

「頭の中がお花畑」と言われようが、ダメなものはダメなのだ。人間同士で憎しみ合い、殺し合っても、絶対幸せにはなれない。

チェルノブイリの祈り

『チェルノブイリの祈り』（岩波書店）を読んだ。

ノーベル文学賞を受けたベラルーシのジャーナリスト、スベトラーナ・アレクシエービッチが著した。1986年のチェルノブイリ原発事故（旧ソ連、現在はウクライナ）に、さまざまな形で巻き込まれた人々が、思いを語っている。

消防士の妻、近隣住民、議員、兵士……。綿密なインタビューから紡ぎ出された人々の言葉を活字でたどるうち、肉声を目の前で聞いているような錯覚を覚える。

事故は4月26日未明に起きた。信じられないほどずさんな運転管理と初動の失敗が、人類史上最悪の原発事故につながった。

さらに悪いことに、旧ソ連政府は当初、事故を隠した。勤務中の作業員が丸腰で駆り出され、消火のため駆けつけた消防隊員とともに大量被ばくした。

爆発で飛散した放射性物質が環境を汚染した。住民たちは移住を迫られたり、水や農作物を通して内部被ばくしたりした。

折も折、ウクライナに侵攻したロシア軍がチェルノブイリ原発を占拠している間、兵士が被ばくした可能性があるという報道があった。

ウクライナの国営原子力企業によると、放射能に汚染された「赤い森」と呼ばれる立ち入り制限区域で、ロシア兵が塹壕《ざんごう》などを造る作業に従事したという。

放射性物質にかぶせた土壌を掘り返せばどうなるか。そうした知識を、果たして末端の兵士は知っていただろうか。ロシアという国はどこまで国民を使い捨てるのだろう。

『チェルノブイリの祈り』には、事故後の収束作業に動員された兵士の証言も出てくる。一節を紹介しよう。

「アフガン(紛争)からもどったとき、ぼくは知っていた――これから生きるんだ！　でも、チェルノブイリのあとではすべてが逆なんです。殺されるのは帰宅した、まさにそのあと」

科学の光と闇を生きた学者

ロシアがウクライナで化学兵器を使ったのではないかと疑われている。２万人以上ともいわれる民間人の命を奪い、なお攻撃が続く南東部マリウポリでのことだ。「露軍が無人機から有毒物質を投下した」と、現地を拠点にするウクライナの戦闘部隊が主張している。

化学兵器は神経に作用して致命的な打撃を与えるもの、生き延びても後遺症や障害を残すもの、環境を汚染して被害を広げるものなど多様だが、その非人道性から保有や使用が国際的に禁じられている。

世界最大の保有国といわれたロシアは２０１７年に「廃棄完了」を宣言した。今回の疑惑についても否定しているが、確証はない。

人を威嚇し傷つけるという点において、あらゆる兵器は許容されない。けれど、ＡＢＣ——Atomic（核）、Biological（生物）、Chemical（化学）の頭文字——と総称される大量破壊兵器はとりわけ悪質度が高い。

化学兵器が初めて導入されたのは第一次世界大戦だ。開発に貢献したドイツの化学者フリッツ・ハーバー（１８６８～１９３４年）は「化学兵器の父」と呼ばれた。

ノーベル賞受賞者でもある。空気中の窒素と水素からアンモニアを合成する方法を発明したことによる。

その名を冠したハーバー（・ボッシュ）法で作られたアンモニアからは窒素肥料ができる。窒素肥料は食糧生産に革命をもたらし、多くの人々を飢えから救った。「もしもハーバーがいなかったら、地球の人口は30億人少なかっただろう」といわれるほどだ。

科学は光と闇を併せ持つ。ハーバーの生涯は、そのことを分かりやすく私たちに教えてくれる。肥料の形で人々に恵みをもたらす一方、その手から化学兵器が生まれ、さらにアンモニアから作られる硝酸も爆薬に姿を変えて戦争に使われた。

大切なのは、人間が科学の果実を賢く使う知恵を持つことだ。でなければ悲劇は繰り返される。

愛国心が毒ガスを生む

「化学兵器の父」と呼ばれたドイツのハーバーの生涯を詳しく知るにつれ、やりきれない気持ちになる。

人類への最大の貢献は、空気中の窒素を水素と反応させてアンモニアを合成する方法を確立したことだ。これを原料に作られる窒素肥料は農業の生産性を飛躍的に上げた。「空気からパンを作った人」の呼び名もある。

生涯、彼を振り回したのはユダヤ人という出自だった。若い頃、才能がありながら待遇で差別を受けているのはユダヤ人だからだと考え、プロテスタントへ改宗することまでした。

そんな彼の愛国心と才能を、国家は最大限に利用した。毒ガス兵器の製造だ。ドイツは第一次大戦で最初に使用した国になった。

「戦争を早く終わらせるために」従事したという。だが、開発競争を招いて戦争は逆に長期化した。非人道的な兵器を作るという仕事に反対し続けた妻は自死した。

敗戦国として巨額の賠償金を課されたドイツのために、ハーバーは海水から金を抽出するという錬金術まがいの研究も手がけ、失敗する。やがて反ユダヤを掲げるナチスドイツが台頭し、晩年は不遇だった。

『毒ガス開発の父ハーバー　愛国心を裏切られた科学者』(宮田親平　朝日選書)には、ハーバーがユダヤ人排斥政策によって研究所長の座を追われる際、職場の黒板に書き残したという言葉が紹介されている。

「22年間、平和時には人類のため、戦争時には祖国のため尽くしてきた研究所に別れを告げる」

細菌学の祖・パスツールの「科学に国境はないが、科学者には祖国がある」という名言を思い出す人も多いだろう。

ハーバーが平和な時代に生まれていれば、人生は変わっていたかもしれない。けれど、歴史にIF(もしも)はないのだ。

彼が生前、「人類のため」殺虫剤として開発したチクロンBは、収容所で同胞のユダヤ人の虐殺に使われた。これも皮肉というほかない。

誰の心にも　ふるさと

バンドゥーラというウクライナの民族楽器がある。琵琶に似た姿かたち。50本以上の弦が張られ、立てるように抱えて両手の指で奏でる。
日本で活動するウクライナ出身の演奏家、カテリーナさんのステージをみる機会があった。初めて聴くバンドゥーラの音色はもの悲しく、郷愁を誘う。中でも「幸せの鳥」と題する歌にひかれた。

木を切らないでください
植物を、花を切らないでください
その花はもしかしたら誰かのお母さんかもしれない
動物を殺さないでください
鳥を殺さないでください
その鳥はもしかしたら誰かの最後の愛かもしれない

カテリーナさんはこれを母国語で歌った。もともとは子守歌だという。「だけど、歌う私の心は怒りと叫びでいっぱいです」と語った。もちろん、その怒りは、祖国に侵攻したロシアに向けられている。

生家はチェルノブイリ原発から2・5㎞の場所にあった。その原発が1986年に爆発事故を起こし、生後1カ月のカテリーナさんは家族と避難した。

同じ境遇の子どもたちで結成された楽団に参加し、バンドゥーラを習得した。事故から10年の節目のコンサートツアーで来日したのが縁で、成人すると演奏活動の拠点を日本に移した。

10歳のとき、初めて覚えた日本の歌は「故郷《ふるさと》」だったという。

うさぎ追いしかの山……の歌詞で知られるこの歌は、14（大正3）年発行の「尋常小学唱歌」に初めて掲載された。戦後も音楽の共通教材として、小学6年生が授業で習うなど、世代を超えて歌い継がれている。

カテリーナさんにとってこの歌は、どんな意味を持つのか。

「生まれた場所を原発事故で失い、日本が第二のふるさとになりました。今度はウクライナが戦争になり、そこには家族も親類も友人もいる。そもそも戦争の後、帰ることができるのか分からないのです」

ふるさとへの思いは誰しも同じだ。

欧州で活動するヴァイオリニストの中村太地《だいち》さんが、寄付金を携えて東京の在日ウクライナ大使館を訪れた。首都キーウ（キエフ）やリビウで演奏会を開いたことがあり、音楽家の友人も多い。「何かの役に立ててほしい」と、日本で開いたコンサートの収益を持参した。

セレモニーに続いて、大使館職員だけが参加するささやかな演奏会になった。披露したのは5曲。締めくくりは「故郷」だった。欧州でも知っている人は少なくない。日本大使館の行事などでリクエストされ、たびたび弾いてきたという。

いかにいます父母
つつがなしや友がき
雨に風につけても
思いいずる　ふるさと

うつむいて耳を傾ける人。そっと涙を拭う人。彼らの脳裏には、どんな風景が浮かんでいるのだろう。ウクライナ国旗のように、青空と風にそよぐ麦畑だろうか。

爆風と略奪にさらされ、変わり果てたふるさとの姿を、いったい誰が望むだろうか。

うそと「ずる」で始まった

「うそ」と「ずる」はいけません。

子どものころ、こう教わった。「弱い者いじめはひきょう」「自分が間違っていたら謝りなさい」とも、しつけられた。

ウクライナに侵攻したロシアのプーチン大統領は、そんな当たり前のことを学ばずに大人になったようだ。

「ウクライナによる集団虐殺からロシア人を守る」との口実で、面積も人口もけた違いに小さい隣国に攻め入ったのは2022年2月。多大な人的犠牲を払い、戦費を湯水のごとく浪費して長期化した。誤算は明白なのに、改めようとしない。

格好悪い指導者である。

柔道家としても知られる。ならば「礼に始まり礼に終わる」という柔道の精神は承知だろう。創始者・嘉納治五郎による直筆の書を、日本から贈られたという。「精力善用」「自他共栄」の2種類だ。柔道を通して身につけた強さは善いことにのみ用い、他者と助け合いながら良い社会をつくっていくという教えである。

だがプーチン氏は、手にした強大な権力を、悪用することにしか興味がないとみえる。ますます格好悪い。

核兵器使用をちらつかせるだけでは収まらず、欧州最大規模のザポリージャ原発を占拠した。

敷地内にある大量の核燃料を人質にとり、原発周辺を戦場に変え、砲撃の危険にさらし続けている。

戦争は文明を破壊し、暮らしを悪化させ、環境を汚す。加えて核物質による汚染が現実になれば、たかだか誕生から20万年しか経っていない人間が、46億年の歴史を持つ地球の自然を大きく変えることになる。罪の深さは途方もない。

そもそも、未来のある若者を大義のない戦争に駆り出し、人殺しをさせることが、政治指導者としてどれだけ品性のないことなのか、分かっているのだろうか。

どれだけの犠牲を払えば、世界は平和を取り戻せるのだろう。

元首相が暗殺された

２０２２年の参院選が終わった。その直前に奈良で起きた、安倍晋三元首相の銃撃事件について、書かなければならない。

思いのほか、私は混乱している。友達ではないけれど、よく知っている人の最期をあのような形でまのあたりにし、整理がつかない。

現場に居合わせた人たちがスマートフォンで記録した映像は、瞬く間に拡散した。

さまざまなアングルで繰り返し報じられ、その時何が起きたかを、かなりの正確さで教えてくれる。けれど、私はそれを見れば見るほど、わけが分からなくなるのだ。

理性や知性で理解しようとしても、私の脳の扁桃体《へんとうたい》が反応し、落ち着かない気持ちになる。

男が狙ったのは、世界各国の首脳がその死を悼み、ホワイトハウスが半旗を掲げるほどの重要人物だった。男は、警護や警備のエアポケットにするりと潜り込み、行動した。まるでコップに立てた歯ブラシを持ち上げるみたいにかばんから武器を取り出し、毎朝の習慣のような自然さで操作した。2発のうちの1発が命中した。映像を見る限り、男は無表情だった。

武器は、ワンルームマンションで手作りされた。鉄パイプと火薬を買う、数千円の金があれば作れる代物だ。作り方はインターネットの動画を参考にしたという。

混乱の理由は、一連のできごとが見せつける「落差」だ。

人をあやめるという結果の重大さと、無表情との落差。映画なら、訓練を積んだ狙撃手が細心の注意を払って挑むようなことを、ビニールテープでぐるぐる巻きにした手製の武器でやってのけるという落差。

自分の行動が民主主義を傷つけるなんて、これっぽっちも考えていなかっただろう。そのことにも、私は衝撃を受けた。何から何まで、理解を超えている。

おぼろげな像が浮かんではぼやけ、くっきり見えたと思ったらぼやける。壊れた双眼鏡をのぞいているようで、焦点がなかなか定まらない。

実行犯の男自身によるSNSへの書き込み、犯行の前日に投函した手紙の内容、親族の証言からも、犯行に至る経緯が分かってきた。

幸せとは言えない子ども時代だったようだ。父親は自死。兄は小児がんを患い、右目を失明した。母親は旧統一教会（現・世界平和統一家庭連合）に入信し、1億円を超える献金をした末、自己破産した。

何かを頼らずに済まなかった母親の胸中は理解できる。ただ、救いを求めた先は、後に霊感商法など違法ビジネスの摘発で知られることになる宗教団体だった。

大学進学を諦め、20年もの間、教団を憎み続けた男の胸中を想像する。

最高幹部を殺害しようと火炎瓶や爆弾まで自作した。だが計画は遂行できなかった。諦めきれず、憎しみを募らせていく。そこへいくつかの偶然が重なり、選挙応援に訪れた安倍氏を狙うことになった。

どんな事情があるにせよ、許されない凶行だ。ただ、そう言って片付けられる問題でもないだろう。なぜこの事件が起きたのか。どうすれば防げたか。私たちは目をこらし、考えなくてはならない。

教団が名称を変えて「再出発」した後も、献金をめぐるトラブルはなくなっていない。安倍氏をはじめとする保守系政治家との関係についても解明してほしい。

背景はほかにもある。男は２０２２年６月に仕事を辞めて以降、生活費に事欠く状況だったという。母親との行き来は途絶え、マンションの住民との接点もほとんどなかった。

自分を不幸にした存在への憎悪、経済苦、そして孤立。同じような困難を抱える人は少なくないのではないか。事件が提起した問題は想像以上に根が深い。

「本物の国葬」に思う

エリザベス英女王の国葬を生中継で観た。

ウェストミンスター寺院での荘厳なミサを終え、ひつぎを乗せた馬車の葬列がしずしずと進む。

テムズ川、セントジェームズ・パーク、バッキンガム宮殿……英国に留学していたころの記憶がよみがえってきた。

留学先がハイドパークの隣という便利な場所にあったから、授業の合間、地下鉄に乗ってあちこち出かけた。トラファルガー広場で信号を待っていたら、女王の乗った車に出くわしたのもいい思い出だ。

葬送の行事を見ていて感じたのは、国家の一大イベントを滞りなく行うイギリスという国の底力、そして自由意思と公正さを重んじる英国人気質についてである。

最長10kmに及んだとも言われる弔問の列にも批判は出ず、スーパースターのデビッド・ベッカムも一市民として並んだ。割り込みを防ぐために番号を印刷したアームバンドが配られ、具合が悪くなった人のために救護班が待機した。

自立した主権者を、お上が側面から支える。さすがは議会制民主主義の母国である。

やがて行われることになる日本の「国葬」についても考えずにはいられなかった。

片や、女王自身を交えて練り上げた「ロンドン橋計画」。片や、2カ月あまりで整えた急ごしらえの儀式。運営の巧拙を比べるつもりはない。問題は「国民が等しく死を悼み、生前の功績をたたえ、謹んで見送る」という、国葬にふさわしい空気が共有されているかどうかである。

誰もが納得する法的根拠のないまま、国会にも諮らず首相が政治決断した。その後、故人を巡る疑惑が出ても頬かむり。国葬でなければならない理由を自ら国会で説明したが、支持率低下は止まらない。

その上、批判を回避するためか「弔意は強制しない」。となれば、もはや国葬の体《てい》をなしていない。こんな中途半端な「国葬」では、送られる方も不本意だろう。

「必勝しゃもじ」で戦地訪問

岸田文雄首相がウクライナを電撃訪問した。

G7広島サミット議長国として必達のミッションだった。他の6カ国首脳が既に現地訪問を済ませ、ウラジーミル・ゼレンスキー大統領から直々に招請されていた。

外遊先のインドから極秘裏に空路ポーランドへ移動。鉄道に乗り換えてキーウ入りした。「電撃」というが、メディアの間では「行くならこのタイミングだろう」との観測が流れていた。それでも情報は厳重に管理され、報道陣は出し抜かれた。

その舞台裏を朝日新聞が報じている。

2023年3月20日午後8時過ぎ、滞在先のタージパレスホテル。雷雨の中、首相と官房副長官らを乗せた車が空港へ出発した。

「今日の首相の日程は終了」と告げられた同行記者らは、予定より早く始まった外務省ブリーフィングに出ていた。その隙に首相らは抜け出したようだ。

緊迫感あふれる脱出劇のさなか、こんなやりとりが交わされていたのだろうか。

「記者に気づかれていないか」

「はい、うまくまきました」

「アレを忘れるなよ」

「もちろんです」

側近が指さすのは「うまい棒」の段ボール。かさばる荷物のその中身は「必勝しゃもじ」である。

この土産、訪問を無事終えて官房長官が発表するやSNSで話題となり、国会質疑でも取り上げられた。

そういえば小学校の修学旅行で宮島へ行った際、土産にしゃもじを買った。「必勝」と墨書された大きなものも並んでいた。

「飯取る＝（敵を）召し捕る」という語呂合わせから、選挙や野球など「戦う」場面で激励に使われる。岸田氏のルーツ広島のPRにもなるし！　と考えたのだろうが、このセンスはいただけない。

ウクライナが直面しているのは国家の存亡を懸けた戦争である。日本維新の会の馬場伸幸代表曰く「ちょっとお気楽すぎる。私なら怒る」。同感。ゼレンスキーさんの「大人の対応」を願うばかりだ。

岸田氏の鈍感力は、しゃもじにとどまらない。防衛費倍増、原発回帰、尻すぼみの「異次元」少子化対策。どれだけ追及されても、困ったような顔で要を得ない答弁を繰り返す。これが戦術なら見上げたものだが、そうでもないようだ。心もとない。

防衛大学校の卒業式ではウクライナ訪問を踏まえ、「今日のウクライナは明日の東アジアかもしれない」と、険しい顔で語った。そんな事態は考えたくもないけれど、対処をこの人に委ねる事態は、想像するだけで冷や汗が出る。

原子力安全の番人

日本にはかつて54基の原発があった。2011年3月、東京電力福島第一原発事故が起き、世界を震撼させた。

原発事故は起きない、リスクなど考える必要もない、という「安全神話」は完全に崩壊した。そもそも、番人役の原子力安全・保安院が、推進官庁である経済産業省資源エネルギー庁の機関だった。結果的に神話の片棒を担いでいた。

その反省に立ち、翌年秋に設置されたのが原子力規制委員会である。「安全」の看板を降ろして「規制」を前面に出し、母体も経産省から環境省に移った。

公正取引委員会と同様、高い独立性を与えられている。原子炉、地震、津波などの専門家5

人が、純粋に科学的・技術的な観点から審査する。電力会社が土下座して頼んだって「ダメなものはダメ！」と言える体制が整った。

だが、近年はほころびが目立つ。岸田文雄政権が原発の活用にかじを切り、「運転期間を延ばす」と言い出したことがきっかけだ。

運転期間は、福島の事故の後、与野党が合意して「原則40年、最長でも60年」と決めた経緯がある。延ばすとなれば、規制委が所管する法律を変えなければならない。どうする規制委？

驚いたことに結論は「ＹＥＳ」。規制委は法改正を容認し、扱いを経産省に委ねたのである。「原発の寿命は、使われてきた環境によって変わる。個々について基準を満たしているか見ていくことが我々の務めであり、一義的に運転期間を定めてはいけない」と、山中伸介委員長は説明した。

40年は安全だが60年は危険、などと一律に決められるものではない、という理屈だろうが、はしごを外された気分である。「経産省主導で原発回帰が進むのでは」と疑心暗鬼になるのは私だけか？

もっとも、規制委内の議論は紛糾した。「安全側への改変とは言えない」と一人が反対し、異例の多数決で退けられた。

賛成した他の委員からも厳しい注文がついた。「運転60年超の原発にどんな審査をすべきかの議論が、ふわっとした形になったことに違和感を覚える」「政府から出された締め切りを守るため急かされ、じっくり議論できなかった。国民への説明も圧倒的に足りない」

私が恐れるのも、そこである。気づいたら経産省―政権のペースに巻き込まれ、きちんとした議論が軽視されることにならないか。

専門家でない私たちが原発の稼働を容認できるとすれば、「信頼に足る規制委が議論の末に認めた」、その一点に尽きる。その自覚があるか。政府による「原子力緊急事態宣言」が続くこの国の未来は、あなた方にかかっているのだ。

先生 vs. センセイ

ウクライナとロシアの戦いは予断を許さないが、日本で続く「先生とセンセイ」の戦いも忘れてはいけない。

始まりは2020年秋。「学者の国会」こと日本学術会議の会員候補105人のうち6人を、当時の菅義偉首相が任命しなかった。

かねて安保関連法制や「共謀罪」創設に批判的な意見を表明していた人文・社会系の学者たちだった。首相官邸による異論排除が狙いでは、との見方が広がった。

事実なら言論統制につながりかねない乱暴な権力行使である。学術界は一斉に反発した。「拒否の理由を示してほしい」と迫る学術会議に対し、菅氏は「総合的・俯瞰《ふかん》的見地から判断した」と逃げ続けた。

政治によるこうした口出しは、14年に始まっていたという。官僚人事を統括する内閣人事局が発足し、安倍晋三首相・菅官房長官による官邸への権力集中が加速した動きとも重なる。

23年2月、歴代会長5人が連名で岸田文雄首相への要望を発表した。任命拒否問題に加え、政府主導で検討が進む学術会議の「改革」案に異を唱えた。

政府が公表した改革方針によれば、学者以外で構成する第三者委員会を新設し、会員選びに関与させるという。

「企業も経営に外部の目を取り入れている。国の機関である以上、透明性は大切。そういう時代の流れも意識してほしい」と、学術会議を所管する内閣府幹部は説明する。

しかし、透明性が足りないのは、拒否の理由を明かさないまま「改革」でごまかそうとしている政府の方だろう。そもそも、もうけを出して株主に還元することを目指す企業と、利潤より「人類益」を重視する学術会議と、同じ手法が通用するものなのか。

首相の任命でゴタゴタしないよう前さばきをし、政府の方針にたてつかない顔ぶれに変えていこう。そんな思惑を改革案に見て取った歴代会長は、記者会見で口々に懸念を述べた。

「改革案は噴飯ものだ。これが通れば、学術会議は政府のためだけに働く常識外れのアカデミーだと、世界の笑いものになる」(広渡清吾氏、11年会長)

「個々の分野でなく文明が抱える横断的なテーマについて社会に提言する機能がなくなっていけば、非常に危うい」(大西隆氏、11~17年会長)

20年当時、会長だった山極壽一氏はこう問いかけた。

「(任命拒否の)理由なんかどうでもいい、忖度《そんたく》しろということが慣例になれば、あらゆる場面に波及する。なんだか日本は社会主義国みたいになってきている。それでいいの？」

防衛費倍増、原子力回帰。今や「聞かない力」がお家芸になった岸田政権に届くだろうか。

人助け、してますか？

「日本人の気高さや善良さ、寛大さを代表する素晴らしい人物」。日本人として初めて国連難民高等弁務官を務めた緒方貞子さんが２０１９年に亡くなったとき、アフガニスタンのハーミド・カルザイ元大統領はこう賛辞を送った。

賛辞のお裾分けにあずかるようで面《おも》はゆいが、日本人の善良さに関しては、こんなデータもある。

世界人助け指数。イギリスの慈善団体が、他者への気遣いや寛容さの度合いを三つの行動から推し量った。総合ランキングで日本は１２６カ国中１０７位。中でも「見ず知らずの人を助ける」行動の評価は最下位だった。

家族や友人が困っていたら進んで助けるけれど、知らない人には関わらない方が無難。私たちが抱きがちな心理の一端を、調査結果は映しているのかもしれない。

だが、２０１９年秋、台風19号の被災地に駆けつけたボランティアは延べ10万人を超えた。見ず知らずの人々への温かな善意だ。

一方で、暴風雨の中、避難所に身を寄せた路上生活者が、「住所がない」ことを理由に拒まれたという。どちらも同じ国のできごとである。

胸にちくりと刺さる記憶がある。10年ほど前の日曜の夜、私は地下鉄に乗っていた。出張帰りで疲れていた。発車を待っていた時、スーツの男性がホームで倒れるのが見えた。

酔客かと思ったが、苦しんでいるようにも見える。降りて助けようか、ためらった瞬間にドアが閉まった。ホームに居合わせた若い女性が駆け寄る。介抱の様子を窓越しに見ながら、私は乗り続けた。

男性は無事だっただろうか。居心地の悪さとともに、あの光景を思い出す。時間を巻き戻すことができたら、私は地下鉄の中の自分に「助けないの？」と言うだろう。

時ぐすり　人ぐすり

長崎県雲仙《うんぜん》・普賢岳《ふげんだけ》の大火砕流にのみ込まれた3台の車両が、30年ぶりに掘り起こされた、という記事を読んで、「時ぐすり」という言葉を思った。

時ぐすり。悲しみや痛みを時がいやす、という意味の言葉だ。

あの日、現地で取材中だった会社の同僚が「車ごと行方不明になった」との知らせを、私は職場で聞いた。「火砕流？」。耳慣れない専門用語を記事にするため、専門家に片っ端から電話取材したことを思い出す。

死者・行方不明は43人に上った。報道関係者が16人。報道機関がチャーターしたタクシーの

運転手や、周囲で警戒に当たっていた消防団員らも巻き込まれた。

埋れた3台の存在が知られていなかったわけではない。30年を機に地元の人々が「教訓を後世に伝えなければ」と声を上げた。掘り出すための重機や人手も提供した。展示・公開のための資金を募る活動を、報道関係者が呼びかけている。30年の歳月が、住民たちのわだかまりをとかした。「時ぐすり」の一例だろう。

東日本大震災から10年の節目を前に、地震と津波、原発事故に見舞われた福島県を、2020年12月に訪ねた。双葉町に開館した「東日本大震災・原子力災害伝承館」で、60代の語り部の女性の体験を聞いた。

東京電力福島第一原発から23㎞の場所で事業を営む夫と姑と3人で暮らしていた。11年3月12日、「原発が爆発する」と聞き、実家の両親も連れて皆で逃げた。福島市、伊達市と移り住み、自宅に戻れたのは約3カ月後だった。戻れはしたが、暮らしは一変した。

コメ作り一筋だった父親は、政府から作付けを禁じられ、生きがいを失った。やがて脳梗塞《のうこうそく》を発症し、農作業ができなくなった。姑は避難生活になじめず、こもりがちになった。自宅に戻った後、寝たきりとなり、亡くなった。

「元気印」だった妹の死が、追い打ちをかけた。原発から20㎞圏内に住んでいたため自宅に戻ることができなかった彼女は、各地を転々とした。ようやく身辺が落ち着いた4年前、がんの告知を受けた。闘病の末、帰らぬ人となった。

災害と原発事故に翻弄された10年間を、女性はこう振り返った。

「不幸な出来事でしたが、生きてきた時間は無駄じゃない。今は家族の大切さ、普通に生きていける幸せを感じています」

「あの日」の前日に戻れたら。そう願っても、時間は巻き戻せない。一方で、泣きはらした顔を上げ、立ち上がって歩き出すだけの強さを、時は与えてくれることがある。

ただその過程では、時ぐすりと並んで「人ぐすり」も必要だという。

語り部の女性が、過酷な10年間について語り始める力をもらったと振り返る体験は、避難先で友人が目にしたという、小さな男の子の話だった。

スーパーで、駄菓子を手に精算の列に並んでいたその男の子は、ふと列からはずれ、駆けて行った。戻ってきた時には、手に駄菓子はなく、代金の小銭をレジの募金箱に入れたという。

「話を聞いて、私も乗り越えようと思いました。人々の励ましで今、この地に暮らすことができている、感謝を伝えたい」

男の子にも10年の時間が流れたはずだ。どんな少年に育っているだろう。

誰と闘っているのか

1967年、米のウィリアム・スチュワート公衆衛生総監は「感染症の教科書を閉じる時がきた」と議会で語った。ワクチンや抗生物質の発明によって、人類は感染症を克服したという「勝利宣言」だった。

スチュワートさんが学んだ教科書には古びた知識しか書かれていなかったらしい。人類はその後、エイズ、SARS、新型コロナ感染症と、新たなウイルスに翻弄され続けている。

人類がウイルスを「発見」したのは19世紀末のことだ。約100年後の21世紀初頭にヒトゲノム(ヒトの全遺伝情報)が解読されると、ゲノムの1割近くがウイルスからもたらされていたことが判明した。生殖細胞に感染したウイルスが、宿主であるヒトの遺伝情報に潜り込んで一体化したのだ。

その一つが、胎盤を作る遺伝子である。私たちはウイルスからもらった遺伝情報のおかげで命のリレーをつないでいる。

病原体として宿主を脅す邪魔者の横顔と、共生し進化していく伴走者の横顔を併せ持つのがウイルスの実像である。こうした事実が書き加えられ、教科書は日々、分厚くなっていく。

その教科書に見向きもしない人々も、日本にはいる。

コロナ禍さなかの2021年6月、政府分科会の尾身茂会長が、東京オリンピック・パラリンピックを強行しようとする政府に警鐘を鳴らした。「今の状況でやるというのは、普通はない」。

これに丸川珠代五輪担当相(当時)が反応した。

「スポーツの持つ力を信じて今までやってきた。全く別の地平から見てきた言葉をそのまま言っても通じづらい」

信じるだけでコロナに勝てるなら、こんなに楽な話はない。開催判断と不可分の感染状況を

「まったく別の地平」と言ってのける感覚にも驚く。

一般的に、感染が成立する3要件は「感染源、感染経路、宿主」。ワクチンが行き渡らない状態で（宿主）、無症状の感染者（感染源）が多数いるところに人出を伴うイベント（感染経路）が加われば、広がるのは自明だ。

科学的な事実を軽視する政治家の姿勢は、今に始まったことではない。13年、安倍晋三首相は五輪招致の演説で、東京電力福島第一原発の汚染水の状況を「アンダーコントロール」と発言した。コロナ禍では、楽観的すぎるワクチン供給の見通しに頼って「1年延期」を決めた。

不確かな未来を見通す作業に、五輪という必達の目標が加わった。日本は、感染制御と「おもてなし」の両立という自縄自縛に陥った。

さらに国民の間には、感情的な分断が生まれた。

『パンデミックとたたかう』（岩波新書）を読み返した。09年の新型インフルエンザの流行後、感染症学者の押谷仁・東北大学教授と作家の瀬名秀明さんが書き下ろした。

その中で瀬名さんはこう看破する。「実際のところ、私たちはパンデミックとたたかっているのではない。本当はこの現代社会とたたかっているのだ」

押谷さんは「日本ではまだ、専門家の意見がきちんと決断に反映されるようになっていません。そういう体制をつくらなくては、パンデミックの危機は乗り越えられない」とつづる。

私たちは過去に何を学び、誰と闘っているのだろう。消耗戦の中、「その日」は刻々と近づいている。

居酒屋のある街

異例ずくめの夏がゆく。

平和の祭典、東京オリンピックは、どこか別世界のできごとのようだった。競技場の外では新型コロナウイルス禍の火が広がり、盛り場の灯は消えた。

「禁酒令」が敷かれた東京は2020年の春から門出を祝う宴も亡き人を悼む集まりも途絶えた。五穀豊穣をことほぎ、疫病退散を祈る祭りさえ、実施がままならない事態に至った。

コロナ禍は、酒と人との縁を根っこから変えてしまうのではないか。

「生活の大事な一部が断ち切られ、さみしくてさみしくてやりきれない」と、デザイナーの太田和彦さんは嘆く。居酒屋探訪家として、北海道から沖縄まで津々浦々の名店を訪ね歩き、50冊以上の著書を通じて、「居酒屋文化」を発信してきた。

居酒屋の良さは、人と人が胸襟を開いて交わることにある、と太田さんは考えている。酒で心がほぐれ、相手の素顔がのぞく。

独りで飲むのもいい。人々を眺め、店主と話し、自分を見つめ直す。「居酒屋の居は居心地の居。仕事場でも家でもない、世間の隅っこに身を置いてじっくり考える、とても大事な場所です」

なじみの店からの便りが時折届く。高齢になり先が見えないと閉じた店もあれば、「カツカツだけど頑張ってます。必ず来てください」という心強い知らせもある。

店を掃除し、料理を整え、のれんを出してお客さんを迎える。それが好きでやっている人たちだ。スズメの涙の協力金で満足できるわけがない。でもルールを破れば評判に響く。だからじっと耐えている。

つけこむように、政府は酒問屋や金融機関に圧力をかけ、自粛を徹底させようとした。「この政府は誰かを悪者に仕立てないと気が済まないんだね。そして酒が悪者になった。営業許可という伝家の宝刀を振りかざして客商売の人たちに我慢を強いるなんて、弱い者いじめさ」と太田さん。

居酒屋の起源は、江戸時代にさかのぼる。客が酒屋の店内で酒を飲むことを「居酒《いざけ》」と呼んだ。やがて田楽《でんがく》や刺し身などのつまみを出すようになり、専業化していく。約200年前の江戸市中には、こうした「煮売居酒屋」が1800軒余を数えたという(飯野亮一『居酒屋の誕生』ちくま学芸文庫)。

その江戸でも、飲食店の灯が消えたことがあった。大火が相次いだため、奉行所が火元になりやすい店に「暮れ六つ」(午後6時ごろ)以降の営業を禁じたのだ。

しかし、仕事を終えた人々が小腹を満たし、肩の荷を下ろして明日への活力を養うこうした店は、都市に欠かせないインフラだった。命令にそむいて営業する例が相次いだことから、五代将軍徳川綱吉が解禁した。

下って昭和、戦時下の1944年には「享楽追放」の号令の下、警視庁が都内の飲食店に1年間の休業命令を出している。この時も食券制の公営居酒屋「国民酒場」が都内に120軒以上登場し、にぎわったという。

「コロナ後」の居酒屋文化はどうなるのだろう。太田さんは「一夜にして復活しますよ」と言い切る。「人が生きていく上でなくてはならないものだから、復活しないわけがない。その証拠に、居酒屋のない国なんてないでしょう」

オンナ・コドモの問題ですか

女性の自死が増えている。男性で減り続けているのとは対照的だ。

とりわけ2020年は、働く女性の自死が増えた。「女性に多い非正規労働者が影響を受けている可能性がある」と政府は分析する。

その奥に、女性を取り巻くもう一つの背景があると私は思う。感情をコントロールしながら顧客と向き合う「感情労働」に携わる人たちの、心の健康の問題だ。

感情労働とは、客室乗務員の労働環境の研究から提唱された働き方で、頭脳労働、肉体労働と区別される。飲食、宿泊などの接客業、看護・介護・保健などケアに関わる仕事などをこう呼ぶ。

従来、他者への共感力と気遣いにたけた女性の適職と考えられてきた。

ただこれらは、新型コロナウイルス禍で最も影響を受けた職業でもある。労働過重になっても手を抜けない。反対に、活躍の場を奪われた人がいる。殺伐とした空気の中、ストレスにさらされ続けた人も多かったはずだ。

加えて既婚女性は、家庭でも育児や介護というケアの役割を担うことが多い。

ドキュメンタリー映画「終わりの見えない闘い」は、こうした感情労働の現場を克明に描く。コロナ下の保健所に10カ月間にわたり密着した記録だ。

保健師の業務は激増した。陽性者への連絡、疫学調査、濃厚接触者の健康観察。入院を渋る人、感染を職場に伝えられないと言う人を電話口で「ですよねえ」と柔らかく受け止め、善後策を一緒に探す。

医療が逼迫《ひっぱく》した年明けには、患者の受け入れ先を探す作業が加わった。「延命措置はしない」という入院の条件を病院から提示され、それを感染者の家族に伝えなければならない場面で、ある保健師は号泣したと振り返った。

宮崎信恵監督は「大変だね、すごいね、と感動したり美化したりするだけでなく、彼女たちがなぜ大変な思いをしなければならなかったのかを考えてほしい」と語る。

支援が必要な人の背景はさまざまだ。個別の事情に寄り添うほど、一律のルールや理屈では対応できなくなる。そこに目配りした政策ができない現状では、ツケは現場が背負うほかない。虐待や性暴力、貧困、在留外国人など弱い立場の人たちが直面する理不尽な状況にも共通する構図だ。

現状がいっこうに改善しないのは、弱者の境遇に心を寄せる「ケアの倫理」が政治に足りないからだと、東京大学の林香里教授（メディア研究）は指摘する。

「日本では、男女で見える景色が異なる。国会が男性ばかりだと、政策の中身や優先順位に偏りが出るのは当然です」

先の衆院選（２０２１年）で当選した議員の女性比率は９・７％。候補者を男女均等にする努力義務を盛り込んだ法律ができたのに、努力のあとは見えない。

同様の構造はジャーナリズムにもある、と林さんは言う。客観性や公平性を重んじるほど、そこから外れた、社会の片隅の小さな声は見過ごされがちになる。かつての男社会では「オンナ・コドモの問題」として片付けられていたのだ。

時代は変わり、他者への共感が求められている。にもかかわらず、表舞台に立つ人々が「現状維持」では、社会が機能不全を起こしてしまう。

語り継ぐべきこと

東日本大震災の発生から10年以上がたった。

「復興」がここまで進んだという報道の一方、記憶を継承する難しさも聞こえてくる。それだけの歳月が流れた。

前へ前へと急ぐ空気の中、大切な人を理不尽な形で奪われた人たちは、今も「あの日」に立ちすくんでいる。

遺族・行方不明者家族には「大震災からＸ年」という表現にも反発を感じる人が少なくない。災害社会学者の金菱《かねびし》清さんに、そう教えられた。震災が「終わった出来事」として扱われているように聞こえるからだという。

金菱さん自身、2度の震災を経験している。1度目は大学受験を控えた1995年。大阪の実家で阪神・淡路大震災に遭った。

横倒しになった高速道路やつぶれた家屋の様子が繰り返し報じられるのに比べて、被災者の肉声は伝わってこなかった。地元の大学でも、社会心理学の講義では数十年前の地震が事例として教えられていた。

「あの時のもどかしい思いが、今の仕事につながっている」と振り返る。

社会学者となり、仙台市の東北学院大学で研究活動を始めて6年後に東日本大震災が起きた。金菱さんはすぐさま、ゼミの学生たちに、自分や家族の経験をリポートにまとめるよう指示した。授業が再開されると、同窓会に呼びかけて卒業生にも執筆を依頼した。

当事者の体験は驚くほど多様だった。地震の規模や死者数といった数字だけでは、震災の実相は伝わらないと痛感した。

そこで金菱さんは、ゼミ生と「震災の記録プロジェクト」を立ち上げる。被災3県を対象に毎年テーマを決め、被災者の個人的な体験に着目した調査を続けては、そのつど書籍として出版してきた。

とりわけ、当事者が手記を書くことの意味に注目している。

遺族・行方不明者家族は執筆を通して死者と向き合う。「書いているときは息子と一緒にいるようだった」と、完成した本を抱きしめて語った人がいた。5年前に亡くした幼い娘にあてた手紙を「ひらがなで書くか、もう漢字が読めるようになったかな」と悩んだ人がいた。活動を通して学生も成長する。ある年、タクシー運転手の間で語られる「犠牲者の幽霊を乗せた」という体験を聞き込んできた学生がいた。調査を重ね、現地ではそれが前向きに受け止められていることを、被災者の死生観と重ねて考察した。

幽霊でも、夢でもいい、大切な人にもう一度会いたい――。そう願う人々の、祈りにも似た思いをすくい上げ記録し続けることが、社会学者としての自分の役割だと金菱さんは考えている。

２０２０年、母校である関西学院大学に研究の拠点を移した。阪神・淡路大震災の発生から既に28年がたっている。「学生たちにとって震災の話は、戦争体験を聞くのと同じレベルです。風化が始まった今、問わなければならないことは何だろう」

人間は忘れやすい。しかし語り継ぐことで未来へ何かを伝えられる。

震災、疫病、戦争。どれも、理不尽さという点では共通する災禍である。上っ面だけでなく、そのさなかでもがく一人一人から、視線をそらさずにいたい。

学校はいのちを守る場だ

ドキュメンタリー映画「『生きる』大川小学校　津波裁判を闘った人たち」（寺田和弘監督）を観た。児童74人、教職員10人、合わせて84人（うち児童４人は今も行方不明）が津波の犠牲になった、宮城県石巻市の市立大川小学校が舞台である。

映画では、我が子を失った親たちが、県と市の責任を問う裁判を起こし、勝訴するまでの経緯が描かれる。

提訴の理由はシンプルだ。「うちの子はなぜ、学校で死ななければならなかったのか」ということである。「地震発生から津波が来るまでの51分間に何が起きていたのか、真実を知りたい」。その願いとは裏腹に、行政は不誠実な対応を重ねた。

現場に居合わせ、ただ一人助かった教員の証言は、聴取の過程で揺らいだ。生還者から直後に聞き取った貴重なメモを、市教育委員会は廃棄していた。

「裏山に逃げよう」という声を聞き入れず、津波にあうリスクが高い川の方へと子どもたちを誘導したことは、明らかな判断ミスだった。

震災の前から校門近くに立っていた碑には「海抜1・12m」と刻まれている。学校が津波に対して安全でないことは周知の事実だった。にもかかわらずそんなミスを犯したのは、津波の際の避難場所や避難経路が決められていなかったからだ。

法律で義務付けられていたのに、学校側はその作業を怠り、市教委も見過ごした。

遺族の不信は極まった。救える命を救えなかった責任を問うには裁判しかない、との決断を2人の弁護士が引き受けた。「かなり難しいケースで、僕以外のところに相談に行ってくれたらよかったのに、と思った」と、弁護士の一人が打ち明けるシーンがある。

損害賠償請求という手段しかないことも、親たちを苦しめた。我が子の命に値段をつけなければならないからだ。「カネが目当てか」という口さがない噂にも傷ついた。

それでも、二転三転する行政の説明を克明に記録し、子どもの足でも裏山に逃げられることを原告自ら立証した。そんな地道な取り組みが、勝訴につながった。

映画の後半、「学校が、子どものいのちの最期の場所になってはならない」という裁判官の言葉が紹介される。事は津波にとどまらない。想定外の災害だったとか不慮の事故だとか、そういう弁解は許されない、という警告である。

私はこの作品を、大川小を訪ねた翌週に観た。現地を案内してくれた「大川伝承の会」の三條すみゑさんに勧められた。

校舎は、津波の傷跡を残したまま時を止めている。中庭や校庭に子どもたちの声が聞こえるような気がして、胸が痛んだ。

裏山へも登った。眼下に「津波到達地点」の看板が見える。「ここに逃げれば、皆助かったのです」と、すみゑさんがつぶやいた。

すみゑさんは、三男の泰寛さんを震災で亡くしている。高校を卒業したばかりで、3月14日には18歳の誕生日を迎えるはずだった。

あの日、仕事が休みだったすみゑさんは、石巻市内で映画を観ていた。激しい揺れで上映は中止になった。約20㎞離れた自宅に戻ろうと車を走らせたが、大渋滞で前に進めない。

カーラジオから「大津波警報」が流れていた。午前中、自動車学校で運転免許の教習を受け、今ごろは家にいるであろう泰寛さんのことが心配になった。

電話はつながらず、唯一通じたのは携帯メールだった。「家は大丈夫」という泰寛さんからの返事に安心し、打ち返した。「津波警報が出てるから逃げなさい。おっ母《かあ》もそっちに向かってるから」

自宅は海沿いの長面《ながつら》地区にあった。150世帯約500人が暮らす集落を、津波が襲った。家は流された。

すみゑさんは自宅に戻れないまま一夜を明かした。最寄りの避難所で泰寛さんを探したが、消息がつかめない。翌日、近くの寺に収容されている泰寛さんのなきがらを、夫が見つけた。

高校時代はバレーボールに熱中し、春からの進路も決まっていた。「なんで逃げなかったの」。冷たくなった泰寛さんに繰り返し呼びかけた。

最後の日の様子を聞かされたのは、震災から10年がたった夏のことだ。「車で一緒に逃げよう」と声をかけた近所の人に、泰寛さんは「片付けてから逃げる」と告げて自宅に残ったという。

「ヤスは、おっ母を待ってたんじゃないかな」と長男は言った。最後に送ったメールを思い出した。「母ちゃんを待たずに逃げろ」と、なぜ言えなかったのか。泰寛を死なせたのは私ではないのか――。

すみゑさんはいま、市立大川小学校を拠点に、ボランティアの「語り部」を務めている。自分のような後悔を誰にもしてほしくない、との思いからだ。

全国から訪れる見学者に、あの日見聞きした光景、自らの後悔をありのままに伝える。修学旅行の高校生に向き合えば、自然と泰寛さんの面影を探してしまう。

「自分の街には津波なんか来ないって思ってる人も、豪雨で川があふれれば同じことが起きる。ひとごとと思わないで。何があっても自分の命を守ってほしい」

すみゑさんは泰寛さんが夢に出てきてくれない、と言う。すでに十三回忌を終えた。家族で暮らした長面は災害危険区域に指定された。広大な空き地に、巨大な防潮堤がそびえる。震災は、今も続いている。

4

星空を届ける人

ハグという贈り物

子どものころ、外国について知るのはもっぱら図鑑や百科事典からだった。びっくりしたのは「こんにちは」の挨拶が、国によって異なることだった。

日本では相手の目を見てお辞儀、が常識。ところが外国では手を握り合ったり、互いの頬を合わせたり、おでこにキスをしたり、鼻と鼻をこすりつけたりするらしい。男同士でも！　恥ずかしくてそんなこととてもできないわ、とドキドキしたのを覚えている。

大人になって外国へ出かけたり、暮らしたりするようになってようやく、これらの意味を理解した。

握手は「はじめまして」の定番。もともと、騎士が武器を隠し持っていないことを見せるのが目的だったという。友好と誠意を示す便利な仕草である。

少し親しい間柄だと、ハグになる。近寄って相手の背に手を回す、あの仕草だ。同性や友人や家族ならぎゅっとハグしたり、ほっぺ同士でチュッとやったりする。

ハグをすると、そう親しくない相手でも、親近感がぐっと増すから不思議だ。「あなたのことを拒みませんよ」というメッセージが直に伝わるからだろうか。たくさんの言葉を並べるより、感謝やいたわり、共感や励ましが伝わる気がする。

この仕草の効用は、科学的にも裏付けられつつある。

好きな人とハグすると、脳内からオキシトシンというホルモンが分泌される。別名「愛情ホルモン」「幸せホルモン」。授乳中の母親の脳内でもオキシトシンが分泌され、我が子への愛情を育む好循環を生んでいるらしい。この現象は、飼い主と犬との間でも起きるという報告がある。

２０２０年4月、日本の共同研究チームが発表した成果も興味深い。生後4カ月以上の赤ちゃんは、母親にハグされることによってリラックスしていることが、実験で確かめられた。チームは指標として心臓の鼓動の変化に着目した。ハグすると、赤ちゃんの鼓動が落ち着き、リラックスしていることが裏付けられた。他人がハグした場合、その変化は小さかったという。

猿は毛繕いをすることで、仲間への親愛や感謝を伝える。同じ霊長類である私たちは、体毛は失ったけれど、ハグで同質の非言語コミュニケーションをすることになった。

コロナ禍が世界に影を落とした。人と人との距離を遠ざけることが感染拡大を防ぎ、大切な人を守るなんて皮肉なことだ。この嵐が過ぎ去ったら、大好きな人を思いっきりハグしたいと思う。

花屋のチャプリン

生まれ育った北九州市に、「街の灯」という小さな花屋があった。

私の実家もよく世話になった。父の三回忌に花を頼もうと連絡した折、ビルの建て替えに伴って閉店したと知った。

店主の早高昌平さんは、たった2坪半の店内に、毎朝１００種類以上の花を並べてきた。

人を雇わず、ひとりで店番をした。配達に出る時には、開け放した店先に書き置きを残した。置き場所が狭いからこまめに仕入れる。そのぶん花の持ちが良く、良心的な価格も魅力だった。

人気の秘密がもう一つある。そのいでたちだ。毎朝、白いドーランを顔に塗る。チョビひげを描いて黒いハットをかぶれば、チャールズ・チャプリンに変身。幼稚園ではたちまち子どもに囲まれる。知らずに怖がる子どもには、自腹でチャプリンが出演した映画のＤＶＤをプレゼントすることもある。

大手の花屋での修業を経て独立するとき、敬愛する喜劇王の名作から店名をもらった。年中無休。続けてこられたのは、花が持つ力のおかげ、と早高さんは言う。

「花を贈られて笑顔にならない人はおらんでしょう？」

映画「街の灯」では、チャプリン演じる宿無しの男が、盲目の花売り娘を好きになる。苦心さんたんして治療費を工面するが、盗みの疑惑を着せられ、投獄されてしまう。

そんな事情を知らない娘は、治療を受けて視力を取り戻し、幸せになる。

あるとき、目の前に現れた浮浪者に小銭をめぐもうとして、そのてのひらの感触から男が恩人であることに気づく。

外見や財力ではなく、人としての気高さが生きる力になることを、この作品は一輪の花を通して描く。

「戦後最長の好景気」の中、切り花市場は縮小傾向だ。「つましい暮らしに消費増税、花屋はますます大変」と言いつつ、早高さんは再出発を目指して物件を探し始めた。子どものころから店に通った若者が「手伝いたい」と申し出たという。

小さな街の灯が、再びともる日が待ち遠しい。

角丸の名刺

私が人生で初めて持った名刺は、角丸だった。

「平成1期生」として新聞社に入社し、研修を終えて初任地へ赴いた私に、上司が名刺を用意してくれていた。箱を開けて「あれ?」と思った。男性の名刺より一回り小さく、角が丸い台紙が使われていた。きっと上司は気を利かせて「女性らしい」名刺を注文してくれたのだろう。そう思うことにした。

ささやかな「特別扱い」の本当の意味を、私は働き始めて痛感することになる。

行く先々で「女性記者ですか！」と驚かれる。タレコミの電話で「女じゃ分からん、男に代われ」と言われたことも数知れない。

世間はもちろん、報道の現場も女性の扱いに不慣れだった。角丸の名刺を配り終わり、2回目に注文する時、私は男性記者と同じデザインに変えた。30年前の、ほろ苦い思い出である。

昭和28(1953)年、新制大学卒の女性として初めて毎日新聞の記者に採用された増田れい子さんは、入社3カ月での挫折体験を、著書『一本のペン』(大月書店)につづっている。

新人研修を終えた後の配属先として政治部を希望したら、幹部から「政治部は女の行くとこじゃないよ。夜討ち朝駆けできるのか女に」と、にべもなく拒まれた。

平成の世に社会人となった私が受けた、不本意な扱いなど吹き飛ぶような、あからさまな女性蔑視の現実があったのだ。

時代は令和へと移った。社会学者の上野千鶴子さんは、東京大学の入学式で刺激的な祝辞を述べた。「偏差値競争に男女の別はありません。ですが、大学に入る時点ですでに隠れた性差別が始まっています」

東大は、学生の女子比率が伸び悩む「2割の壁」にぶつかってきた。東大女子はモテないとか、賢すぎて嫁のもらい手がないとか、さんざんな風評が根強くある。「女の子なのに無理に勉強して東大を目指さなくても」という、親世代の意識も影響しているのだろう。

増田さんは著書で、最初の挫折が自分を成長させてくれたと振り返っている。「壁の発見は、私にとってスタートにおかれた〝花束〟なのであった」

性差別は今もある。でも怒り嘆くより、前を向いて歩き始めよう。

遺影写真館

写真家、能津喜代房《のづきよふさ》さんは還暦を機に、東京・中野に写真館「素顔館」を開いた。国内でも珍しい遺影専門スタジオである。10年余りの間に、約4000人の遺影を撮った。

能津さんには、後悔がある。

妻・恵子さんの父上が亡くなった時、遺影の用意がなかった。写真撮影を職業にしながら、義父の写真を一枚も撮っていなかった。やむなくスナップ写真を引き伸ばして間に合わせた。「遺影は葬儀の後も、孫やひ孫の代まで、文字通り100年残る。その人らしい1枚を残しておく手伝いをしたい」と、広告写真の世界から足を洗った。80歳まではこの仕事を続けようと決めた。

「遺影」という言葉自体、タブー視される時代だった。開業当初は依頼も月に1、2人だったという。やがて、納棺師を描いた映画「おくりびと」がヒットして「終活」が注目されるようになり、依頼が急増した。

どんなに忙しくても、能津さんは撮影に2時間かける。初対面の相手と差し向かいでお茶を飲みながら、その人の人生に耳を傾ける。

話題が趣味や家族に及び、表情がほぐれて目が輝く瞬間をカメラに収める。「とっておきの1枚」を一緒に選んで額装する。

「ほっとした」「いいね、と子どもが喜んでくれた」。依頼者からの手紙はすべて大切にとってある。

終活という言葉の認知度は高いが、実際に進めている人は少ないという。「縁起でもないこと」と、家族で話題にすることを避ける意識は今も根強い。「終活をブームではなく文化にしたい」。古希を迎えた能津さんの、ささやかだが固い決意だ。

伝説の科学者

ある晴れた午後、少女は縁側でお絵かきをしていた。母親がふと縫い物の手を止め、紙に三角形を描いて歌うように口ずさんだ。

「三角形の内角の和は二直角」

数学が好きだった母親は、中学レベルの証明問題を説明し、5歳の少女は完全に理解する。「こんなに面白いものが世のなかにあるのか！　体が震えた。声も震えていた」。この体験が、少女を科学の世界に導いた。

2019年1月に80歳で亡くなった物理学者、米沢富美子さんは自伝『人生は、楽しんだ者が勝ちだ』（日本経済新聞出版社）で、「雷に打たれたような」体験を三たび紹介している。

科学の奥深さに触れた5歳の時の体験。科学者となり、原子が不規則に並ぶ結晶での電子の振る舞いを説明する新理論を思いついたとき。そして、非金属が金属の性質を帯びる時、何が起きているかを解き明かす新理論を発見したとき。

米沢さんは、その天才的な数学センスで、物性物理学の金字塔を打ち立てた。

「この広い世界で、自分しか知らない」真実を手にするのは科学者の喜びだ。文字通り、体が震えるほどだろう。自伝には、その喜びがあふれている。

苦悩と無縁だったわけではない。20代からのたび重なるがん体験。最愛の伴侶の死。生涯、女性科学者が増えないことを気にかけ、不当な差別と勇敢に戦って逝った。

有志が開いた「お別れの会」の会場は、米沢さんが好きだったという真紅の花で豪華に飾られた。

その席で、たくさんの「伝説」が披露された。

高校時代、行事から女子を除外する学校の方針に抗議して授業をボイコットしたこと。定年退職まで勤めた慶應義塾大学の授業では、米沢さんが入ってくると教室が香水の香りに包まれ、学生たちがひそかに「シャネルの魔法」と名付けたこと。多忙な教授時代、研究室のミーティングは深夜1時から始まったこと……。

破天荒な人生は、5歳の原体験に始まる真理へのあこがれと、「科学する喜び」に支えられていたのだ。

触れて、見る

闇の中で私はその「ひと」におそるおそる触れた。

ひんやりとした手触り。そのひとは天を仰ぎ、目は半ば閉じられ、口は何か言いたげに小さく開かれている。のどぼとけや鍛えられた背中は男性のものだろう。高く上げた両腕は肩口ですっぱりと切られている。

テーマは悲しみか、怒りか。考え始めたところで3分の制限時間が終わった。

福岡市在住の彫刻家、片山博詞《ひろし》さんの「触れる展覧会」で、ワークショップに参加した。片山さんの作品はどれも「触れて鑑賞する」ことを前提に作られる。作品と対話してもらうには、見るより触れる方がいいという信念からだ。

訪れた人が作品に自由に触れることができる、この試みは２００６年にスタートした。これまで、作品が汚されたり壊されたりしたことはないという。

この日のワークショップは、国立民族学博物館准教授（現・教授）の広瀬浩二郎さんが指導役だった。

広瀬さんは13歳の時、視力を失った。「視覚優位」の博物館を、もっと開かれたものにしようと、「無視覚流鑑賞」を掲げて全国を行脚《あんぎゃ》している。

「忙しい世の中で、触ることは無駄だと思われるかもしれないが、触って初めて気づくものもある。対象が『何か』より『何を』伝えようとしているかを考えてみてください」

アイマスクを着け、視覚を遮断して作品と向き合う。目で見るだけなら「あ、男の人ね」で終わるところだが、さらに半歩ぐらい近づけたような気がする。

でもやっぱり見て答えを知りたくなるのは、入力される情報の8割を視覚に頼る健常者（広瀬さんによれば「見常者」）の悪いくせだろう。

広瀬さんは、別の作品を丁寧に鑑賞している。全体から部分へ、そしてぐるりと1周。「マントの下にリンゴがありますね」。私は気づかなかった。

「無視覚は、無死角」と広瀬さん。確かに、見えないものが見えている。

世界一つよい女の子

ピッピだ。

「気候のための学校ストライキ」の提唱者、グレタ・トゥーンベリさんを見たとき、ずっと昔に読んだ『長くつ下のピッピ』（アストリッド・リンドグレーン）の記憶がよみがえった。

ピッピはスウェーデンの少女。そばかすと真っ赤なお下げ髪がトレードマークで、いじめっ子や、権威をかさに着ておかしなことを言う大人がいれば、こてんぱんにやっつけてみせる。「世界一つよい女の子」の痛快な物語は、小学生だった私をわくわくさせた。

グレタさんもスウェーデンに暮らし、赤毛ではないけれどお下げ髪。2018年夏、温暖化対策に消極的な大人たちへの抗議行動を、たった一人で始めた。

毎週金曜、学校を休んで国会前に座り込む姿に同世代の若者が共感し、ストやデモは100カ国以上に広がった。

さっそくノーベル平和賞候補に推薦されたが、グレタさんは「自分の人気より地球の生命を大切にしたい」と冷静だ。彼女の目には、「環境技術で世界をリードする」と言いながら温暖化を加速させる石炭火力発電所の建設を進めている日本も「おかしな大人」と映る。

「言っていることとやることが正反対で、非常に優柔不断」

ところが日本では、抗議行動がさほど盛り上がらない。自分たちの将来を左右する問題に、無知なのか無関心なのか、それとも声を上げて「わる目立ち」したくないのか。

大人の事情で動く世界は、理不尽なことであふれている。でもそれを「しかたない」「自分一人が行動しても変えられない」とあきらめたら、何も動かないだろう。

グレタさんのように現実を直視し、素朴な怒りを行動に移す「つよい女の子」になるチャンスは、男だって女だって、誰にだってある。

わたしの北極星

鮫島弘子さんは、アフリカと日本を行き来する「空飛ぶデザイナー」である。

エチオピアの首都アディスアベバに工房を構える。現地でなめして染めた羊の革を使い、15人の職人が手作りしたかばんを日本に輸出している。

エチオピアにこだわったいちばんの理由は、標高の高いこの地で生み出される羊の革が、きわめて上質であることだ。北緯10度、標高3000mの地で育つ羊「アビシニアハイランドシープ」の革は、しっとりと吸い付くような肌触り。薄くて軽いのに丈夫で、バッグ向きだ。オリジナルの色に染めてもらい、裁断から縫製までを手作業で仕上げる。

もう一つは、質の高いもの作りを、途上国で根付かせたいという思いがあるからだ。

原点は、化粧品会社で働いた20代の頃の体験にある。

「美しくなりたい」という女性たちの思いに応えて、季節ごとに新商品を発表する必要があった。めまぐるしく移ろう流行を追いかけながら、あるとき「私はキラキラしたごみを作っているのではないか」と気づいた。

大量生産・大量消費を前提としたもの作りは人を幸せにするのか。答えを探す旅は、2012年、エチオピアで実を結んだ。

これまでの道のりは決して順風満帆ではない。青年海外協力隊、高級ブランド、宝飾品会社と渡り歩きながら、経験を積んだ先に今がある。起業後も、信じていた人に裏切られ、経営上のトラブルで一時は職人も失い、すってんてんになった。

それでも、あきらめなかった。

鮫島さんがデザインする革製品のブランド名は「アンドゥアメット」。現地のアムハラ語で「1年」という意味だ。「持つことで心が満たされ、ぼろぼろになるまで使った時間が価値になるようなものを作りたい」と語る。

エチオピアは政情が安定せず、インフラも脆弱だ。しばしば停電するなど、決して恵まれたビジネス環境とは言えない。それでも現地で育てた職人たちが技術を身につけていくのが心強い。

「作る人、売る人、使う人、みんなが幸せになる仕組みを、一生かけて実現するのが私の夢。迷っても、いつも北の空で導いてくれる北極星みたいなものです」

革と並ぶエチオピアの特産品、コーヒーが縁となり、スターバックスとの協業が決まった。「これからが頑張りどころ」と鮫島さん。

＊＊＊

東京・表参道。個性的なカフェやブティックが点在する通りに2018年9月、コンセプトショップを開いた。起業から6年でかなえた日本での拠点だ。といっても、鮫島さん自身はエチオピアに住み、ここに滞在できるのは年に1〜3カ月程度。

アディスアベバの工房では、20〜30代の若い職人たちに、日本の厳しい品質基準を教え込んだ。朝8時から夕方5時半まで、昼食と2回のお茶の時間を挟んでバッグ作りに励む。女性が多く、2人は子連れ出勤だ。

アンドゥアメットのアイコンともいえる「Hug」シリーズは、その名の通り抱きしめたくなる手触りと、丸みを帯びた意匠が特徴だ。「雨期が来ると、乾いた大地が新緑と花で埋め尽くされます。ブーゲンビリア、ジャカランダ、エチオピアンローズ。そしてナイル川の源流・ブルーナイルを渡る風。私が大好きなエチオピアの自然の色をデザインに落とし込みました」

発展途上国でのもの作りは、品質よりコスト優先と考えられがちだが、その常識を覆したい。「良い材料を使って、買った人が一生愛せるバッグを、ここアフリカで作れることを実証したいのです」。かけがえのない時間の積み重ねに寄り添うようなバッグを作りたいという。

「日本資本主義の父」と呼ばれた渋沢栄一のやしゃごである。「もちろん会ったこともない人ですが、自分の利益、目先の利益だけでは人は幸せになれないということは聞かされて育ちました」。大量生産・大量消費の文化から、小規模でも持続可能な社会へ。生涯をかけて取り組む仕事と、心に決めている。

にぎやかな映画館

「映画館は、家業なんです」

北九州市にある「小倉昭和館」の3代目館主、樋口智巳《ともみ》さんは2012年、主婦からこの映画館のあるじに転身した。

祖父が創業したのは1939年。製鉄所のある八幡や小倉の街は活気にあふれていた。芝居小屋など4館を経営し、戦後に全盛期を迎えた。

だがやがて、テレビの登場で映画不況に見舞われる。北九州市の「鉄冷え」も加わり、経営はじわじわと苦境に陥った。

そんな中でも、2代目の父親が手放さなかったのが昭和館だった。

樋口さんが経営に関わることになったきっかけは09年の出来事である。イベントで来館した俳優の有馬稲子さんから「あなたが頑張らなきゃダメよ」と激励された。

そうだ、私は映画館で育った娘だ。映写室の小窓から、せりふを覚えるほど映画を見た。駄目なら駄目で「不出来な3代目」が責任をかぶろう。押しかけるようにして、家業を継いだ。

昭和館のような名画座は、北九州で一つだけになっていた。

効率優先のシネコンとは一線を画す。封切館で上映を終えた作品を2本立てで。入れ替えなし、飲食物の持ち込み歓迎。設備が古く客席の傾斜が急だからと、幕あいには樋口さん自ら、カゴに入れた「おやつ」を売り歩く。ロビーには、映画愛を共にする名優の色紙や手紙が並ぶ。

19年には創業80周年を迎えた。「日付が分からないので、父の誕生日に合わせた」という記念上映会に、私は母と参加した。

270の客席は往年のファンで満員だった。あちこちから弁当をつかう音、お茶を飲む音が聞こえてくる。上映中も、ため息や小さな笑い声が絶えない。

そういえば最近の映画館は妙に静かだと気づいた。鞍馬天狗の大活躍に、やんやの喝采が、高倉健さんに「待ってました」と大向こうから声が飛んだおおらかな時代が、ここでは健在なのだ。

「お客様が喜び、劇場が喜ぶ。そんな映画館であり続けたい」と樋口さん。昭和館はその年、20年ぶりに赤字を抜け出した。

小さな映画館の夢

映画「あなたの微笑み」（リム・カーワイ監督　2022年）は、売れない監督が自分の作品を上映してもらおうと、日本各地のミニシアターを訪ね歩くロードムービーだ。

本物の映画監督が主人公を演じ、館主もご本人が登場する。

ある場面では、飛び込み営業が成功するが、宣伝もチケット売りも自前。あげくに来館者は

ゼロで、館主から「いい作品なんだけどねえ」と慰められる。

巨大資本やメジャー路線と距離を置き、独自色で勝負する「独立系」の映画館。熱心なファンがいる一方で、経営は苦しい。実際、この作品に登場した7館のうち4館が、閉館や休館など存続の危機に陥った。

その一つが私の古里・北九州市にある「小倉昭和館」だ。レトロな外観、サイン色紙が並ぶロビー、緑色のシートが急勾配で配置された観客席――。見慣れた景色がスクリーンに映し出された途端、こみ上げるものがあった。昭和館は２０２２年８月に火災にあい、全焼したのだ。

館主の樋口智巳さんが昭和館を継いだのは、12年。祖父が映画館兼芝居小屋から始め、父が守り抜いた家業を3代目で潰すわけにはいかないと、無我夢中で走ってきた。

専業主婦からの転身。経営に関しては素人だが、映画愛は人一倍との自負がある。良質の作品を上映するだけでなく、貸し切りイベント、トークショーなど、人々が集い、つながる場として、さまざまなアイデアを実現してきた。

80年に及ぶ歴史が築いた、映画人との絆が財産だ。俳優の奈良岡朋子さんは生前に、昭和館を「映画文化の砦」と評した。

映画や舞台が「不要不急」と片付けられたコロナ禍を乗り切り、あれもやろう、これもやりたいと考えていた時に、隣接する旦過《たんが》市場で火災が起きた。

知らせを受け、樋口さんが駆けつけた時には火が迫っていた。燃え移った後は、あっという間だった。創業当初から守ってきた神棚も、大切に使い続けた35ミリ映写機も、心の支えにしていた高倉健さんからの手紙も、何もかも焼けてしまった。

一夜明け、呆然と現場に立ち尽くす樋口さんに、たくさんの人が「昭和館は私の居場所でした」と涙ながらに声をかけてきた。昭和館が、映画を見るだけの場所ではなかったことを知った。がれきが片付けられた跡地を見ると、80年の記憶まで失われるようでつらい。けれど土地と建物は借り物、蓄えも乏しく、なすすべもなかった。

だがやがて、再建を願う署名が全都道府県、海外からも寄せられ、1万7000筆を超えた。地権者は元の場所に再建することを決めた。

火災から数カ月。ホテルで開いた上映イベントで樋口さんは、考え抜いた思いを口にした。

「火事ですべてを失った、街の小さな小さな映画館が再建を目指すのは無謀かもしれません。今も自信はありません。ですが、これからも楽しんで、喜んで、昭和館に集っていただきたい。奇跡の復活の夢を見ていただけませんか」

焼け残ったネオン看板が宝物だ。地元出身の作家、リリー・フランキーさんに強く促され、焼け跡から回収した。これを形見として、支えてくれるすべての人たちと「新しい昭和館」を作りたいと樋口さんは考えた。
映画文化の小さな灯を守り続ける人々の思いは実り、小倉昭和館は23年12月、再建を果たした。

男もつらいのだ

11月19日は「国際男性デー」。3月8日の国際女性デーに比べると、知名度は低い。そもそも、36の参加国に日本は含まれていない。男性自身が権利や平等を主張することをためらうお国柄もあるだろう。

そんな中、「私も育児休業を」と声を上げた人がいる。国会議員の小泉進次郎氏である。米「タイム」誌の「次世代の100人」に選ばれた38歳が、この「公約」を実現するかどうかに、私は注目した。

日本男性の育児休業取得率は低い。しかも民間企業の場合、6割近くが「5日未満」である。これでは休業したうちに入らない。女だったら「おかしい」と声が上がるのに、なぜ男は黙っているのか、私は不思議でならない。

性別役割にとらわれない生き方を勧める一般社団法人「リーン・イン東京」が、国際男性デーに合わせて、日本の「男の生きづらさ」を調査した。回答者の4分の3は、40代以下の「進次郎世代」である。

その結果、「育児も家事もパートナーと均等に担う」と答えた人が過半数いた。ただし「世間や職場のしがらみがなければ」という留保つきである。

調査は、何に対して「生きづらい」と思っているかも聞いている。

20〜30代は「デート費用を多く払うとか、女性をリードすべきだという風潮」、40〜50代は「男は定年まで正社員として働くという考え」が最多だった。「スーツを着る習慣」と答えた人も4割以上いた。

私の記憶が確かなら、バブルのころはデートで気前よくおごり、ダブルのスーツを着こなして「24時間戦えます」と公言する男性が佃煮にするほどいた。今では、そんな「男らしさ」を、後輩たちが持て余している。

男もつらいよ、と言えばいいのだ。黙っていたら何も変わらないから、女たちは声を上げてきた。まねて損はない。

星空を届ける人

「宙《そら》先案内人」。これが高橋真理子さんの肩書だ。

空気で膨らませるドーム型のテントとプラネタリウム投影機を車に積み、1年の半分は全国各地に出かける。これまで2万人以上に星空を届けた。

大学院で地球物理学を学んだ。山梨県立科学館に16年勤め、解説員の経験を積んだあと、2016年に非営利団体「星つむぎの村」(17年より一般社団法人)を設立した。中でも熱心に取り組んできたのが、病院へ出向いてプラネタリウムを見てもらうことだ。

小児がんや難病で長期入院している子どもと親、看護師や医師も一緒に寝転んで、30分の宇宙散歩を体験する。

高橋さんは、投影に合わせた生解説を大切にしている。

「私たちの体の材料は、星が作ってくれました。138億年前に誕生した宇宙から、同じ誕生日を持ってやってきたのかもしれません」。闘病のつらさをしばし忘れ、いま自分が生きている奇跡を感じてほしいと願いながら語りかける。

3歳で余命宣告された女の子には、生まれた日の星空を贈った。女の子は4カ月後に旅立ったが、両親がボランティアとして活動を支えている。

星空には不思議な力があるようだ。時空を超えた輝きに、私たちは大切な人を重ねる。そもそも、人はなぜ星を見上げるのだろう。DNAの記憶か、それとも――。高橋さんは考え続ける。

こうした活動に対して巌谷小波《いわやさざなみ》文芸賞の特別賞が贈られた。「誰ひとり置き去りにしない決意で、子どもたちと星空を共有した」と称賛された。

今夜僕は散歩にでかける
星は見えているだろうか
そう思うだけで心があたたかくなる

高橋さんのプラネタリウムを体験し、50歳を過ぎて星空と出合った全盲の男性は、こんな詩を作った。点字で満天の星を表現した図が、彼と宇宙をつなげた。

高橋さんは150人の仲間とともに、今日も誰かに星空を届けている。

寺という居場所

縁あって、お寺で講演をした。福島市にある「盛林寺《せいりんじ》」の住職、岡野定丸《さだまる》さんに頼まれた。岡野さんは400年の歴史をもつ寺の22代目である。広い本堂で、ご本尊に見守られながら地球環境問題を説くのは、どことなく面はゆかった。

この寺では年3回の大きな法要に合わせて、ゲストを招いている。社会問題に関する講演のほか、地元のシンガー・ソングライターに歌ってもらうこともある。江戸時代は寺子屋、学制発布後は小学校、昭和には保育所。地域の人々にとっては、今も身近な「学びの場」だ。

2011年の東日本大震災の時は、私設の避難所に変身した。自宅を追われ、公的な避難所に居づらくなった人が身を寄せたのだ。

あるだけの布団を広間に敷き、備蓄していたお供え物の米や食材で自炊してもらった。風呂もわかして提供した。

多い時は一度に18人が滞在したという。この年の大型連休までに、延べ85人が寺で寝起きした。

東京電力福島第一原発で水素爆発が起き、3月15日と17日に放射線量が上昇した際には、避難者には再避難するよう勧め、岡野さん自身は寺に残った。

「頼ってくれる人がいる限り、逃げるわけにはいかなかった。お坊さんの宿命です」。寺は原発から約60㎞。万一のことを考えて設置していた線量計が役に立った。

寺には、いろんな人がやってくる。ご近所さんの愚痴や悩みを聞くのは日常。時折現れるホームレスの男性は、境内を掃除する代わりに、弁当を買える程度の小銭を受け取って立ち去る。明らかに寸借詐欺と分かる訪問者にも、岡野さんは時に金を渡す。「あげるよ。『返す』ってうそつかなくていいから」と。

仏教寺院は国内に約8万を数える。コンビニより多いという。そのありようは多種多様だが、人と人との絆が痩せていく時代、こんな場所があることに救われる気がする。

イクメン？ イクボス？

2008年6月9日。公認会計士の塚越学さんにとっては忘れられない日だ。秋葉原で仕事中、臨月の妻から「破水した」と連絡が来た。病院への道中、前日に起きた無差別殺傷事件の現場を通りかかった。

孤立を深めた25歳の男が、通行人や警察官17人を襲い、7人の命が奪われた。その理不尽さに怒りを覚えた。同時に、これから自分が迎える新しい命の尊さを思った。「生まれてくる子と一緒に社会を変えよう」と決めた。

初めての子どもは男の子だった。「興味本位で」有給休暇を取ったが、仕事とは全く質の異なる大変な作業に戸惑った。そもそも、手伝おうにも「家事すらできないダメ夫でした」。

この強烈な体験が、塚越さんを変えた。次男が生まれたときには産前産後で2カ月、三男のときは8カ月の育児休業を取って子育てに専念した。苦手だった家事を体で覚え、自治会やPTAの活動にも参加した。何より、子育てが楽しくてたまらなかったのだ。

今は仕事の傍ら、NPO法人ファザーリング・ジャパンの理事として「イクボス」運動に取り組む。多様な働き方や、父親の育児参加に理解がある「次世代の管理職」をイクボスと名付け、率先して育児参加を呼びかけてもらう。

男性の育休取得率はまだまだ低い。塚越さんらの調査によると、取得を可能にする最大の鍵は「上司の理解」だという。イクメンが孤軍奮闘するだけでは、社会は変わらないのだ。

いまやイクボス企業同盟には200社以上が名を連ねる。父親になった男性社員に1カ月間の育休を強く勧め、取らない場合は上司の考課に響く制度を設けた企業もある。

「家族で子育てする文化を日本にも根付かせたい。親族が亡くなれば忌引を取るのに、新しい家族を迎えたときに休めないのは変でしょう？」

追い風でも向かい風でも、塚越さんは旗を振り続ける。

春、公園で

コロナ禍の影響で出張予定が飛んだある日、手持ちぶさたで自宅近くの公園に出かけた。ベンチに座って桜の花を眺める。よちよち歩きの男の子が、感染予防対策で停止した噴水の池で遊んでいる。

小さな体を水面に乗り出し、池の水を紙コップにくむと、たどたどしい足取りで階段を下り、そこに置いたバケツに注ぐ。空になったコップを手に再び、階段を上っては水をくむ。それを繰り返している。

何かを探しているふうでもない。バケツを池のそばに移動させれば、階段の上り下りをせずに済むのに、と考えた後気づいた。

男の子は、水をくんで運ぶという行為そのものを、ただ楽しんでいるのだ。その無心さに、胸を突かれる。

子どもは、こんな風に遊んで、泣いて、甘えて、眠って大きくなる。それを見守るのが大人の役割だ。にもかかわらず、「しつけ」という名の暴力に心も体も傷つき、小さな命の火を消す事件が絶えない。

紙面にあふれる感染症の記事に倦《う》む日々。だが実のところ私は、その傍らに連日掲載される、児童虐待のニュースに参っていたのだ。

誰もが、先を見通せない不安の中で春を迎えた。

社会人としてスタートを切るはずが、内定を取り消されたり、シフトが減って経済的に困窮したりしている人がいる。とげとげしい社会の空気の中で、他者に対する無関心や不寛容や暴力が生まれやすい。

はる、という呼び名は草木の芽がふくらむ様子から来ているという。田畑を開墾するという意味もある。生命力に満ちた新しい季節を喜ぶ気持ちを、忘れたくないと思う。

男の子は桜の花に目もくれず、時間を忘れて遊び続けている。最初は手すりにつかまりながらよちよち歩いていたのが、いつの間にか右手にコップ、左手に木の枝を持ち、意気揚々と階段を行き来している。

こんなささやかな景色に、なぜか心が温まる。

タコの滑り台の話

子ども時代の、夏休みの思い出。

朝食を済ませるや、兄と2人、市民プールに走っていき、くたくたになるまで遊んだ。プールの入り口では、作りたてのホットドッグを売っていた。小遣いで30円のホットドッグを一つ買い、半分ずつ食べて小腹を満たした後、近くの公園に走って行く。

砂場にあるタコの滑り台が、お気に入りだった。子どもの私には、小山のように大きく見えた。吸盤を足がかりにして登っては、滑り降りる。8本の脚はそれぞれに、高さや傾斜やスロープ

の広さが異なり、飽きることがなかった。

頭の部分はドーム状の空間になっていて、涼むのにも、通り雨を避けるのにも便利だった。日焼けしてほてった肌に、ひんやりとした感触が心地よかった。

このような滑り台が全国に200ほどあることを、最近知った。調べてみると私のタコは1970年に造られたという。

「生みの母」も、ご健在だった。前田八重美さん(88)。公園や屋外彫刻をデザインする会社の経営者として、「子どもに夢を街に潤いを」をモットーに、若い芸術家を起用して独創的な作品を提案してきた。

タコの滑り台は、その一人が考案した「石の山」と呼ばれる遊具が元になっている。原案は「山」だったが、発注者が納得いかない風で、こんなことを口にした。

「これ、タコみたいだね。頭を乗せたら?」

こうして68年、東京都に第一号が誕生した。ぶらんこやシーソー、砂場といった定番の遊具にはないユニークさに、子どもたちは夢中になった。こうしてタコは各地に広がった。

同じ形の作品は一つとしてないという。一つ一つ手作りするためだ。

設計図に沿って鉄筋を曲げ、土台を作る。そこに左官職人がモルタルを塗り重ね、滑らかに成形していく。曲線が多い分、熟練の技術を要する。

愛され続けて半世紀。親子2代で通う人たちも多い。公園の再開発などで撤去が決まると、「お別れ会」が開かれる。中には市民から要望が相次ぎ、復活した例もあった。

なぜ、こんなに愛されるのですか？　八重美さんは「よちよち歩きの赤ちゃんから小学生まで、自分の成長段階に合わせて遊べることかしらね。お子さんが大けがした話は聞いたことがない」という。

こうした遊具は、海外ではプレースカルプチャー（遊べる彫刻）と呼ばれている。芸術作品のようなたたずまいも魅力の一つなのだろう。

タコは、２０１１年には海を渡った。コペンハーゲンに、世界の遊具を集めた公園が計画され、市当局から依頼が舞い込んだのだ。３人の職人が1カ月がかりで完成させたのは、赤やピンクではなく黒一色のクールな外観。現地でも、子どもたちの人気者だ。

その昔、工場でタコの骨組みに登って遊んでいた八重美さんの次男が彫刻家となり、プロジェクトを仕切った。

「タコさんを通して子どもが社会性を育み、国を超えて人と人とがつながる。それが私の誇りです」と八重美さんは言う。タコさん。その呼び方に、深い親愛の情がにじむ。

思い出したら会いたくなった。帰省した際、公園に寄ってみた。私のタコが、変わらない姿で立っていた。想像よりも小さく感じた。

誰もいないのを確かめて、えいや、とよじ登る。夏の風に吹かれながら、あの頃に思いをはせた。

牛乳のある日常

手書きのメモが1枚、机の上に残されている。箇条書きの備忘録だ。いくつかには、済んだことを示す印がつけてある。

これから取りかかる用件の中に「作業用つなぎ」の文字を見つけた時、私は深い喪失感に襲われた。このメモを書いた前多敬一郎・東京大学教授は２０１８年2月3日、大動脈瘤破裂のため旅先で不帰の客となった。享年62。

東大農学部に学び、付属牧場に住み込んで没頭した研究で博士号を取った。名古屋大学に職を得て動物の生殖メカニズム解明に取り組み、家畜繁殖学の第一人者となった。

自他共に認める「牧場育ち」の学者だった。

とりわけ、研究成果を社会で役立てることに熱心だった、と周囲の人々は言う。その一つがカンボジアで酪農・畜産を再建することだった。

カンボジアは１９７０年代、ポル・ポト政権によって多くの知識人が殺され、酪農を含む産業が荒廃した。そうした実態を留学生から聞いた前多さんは、「カンボジアの子どもが、新鮮で

おいしい牛乳をいつでも飲めるよう手伝いたい」と考えるようになった。

牛乳は、子どもの成長を支える身近な栄養食品である。

広辞苑はこう説明する。「牛の乳汁。白色の液汁で、脂肪・蛋白質・糖分・ビタミン・無機質に富む」。新型コロナ禍による一斉休校では給食用の牛乳が大量に余り、注目を集めた。

そんな事でも起きない限り、牛乳が普通に手に入る日常について深く考えることはない。私も、前多さんから「牛乳作りはハイテク産業」と教わるまで、そうだった。

「ハイテク産業」であるゆえんは、搾乳から殺菌、冷蔵、輸送まで全ての過程に細心の管理が要求されること、さらに生産が雌牛の繁殖サイクルと深く関わることによる。

雌牛が乳を出すのは本来、出産後の一定期間だけだ。だが、牛乳の需要は通年。安定供給は、科学的知識に基づく確実な妊娠と安全な出産、さらに健やかな飼育環境があればこそ、なのだ。

前多さんがプロジェクトを始めた07年ごろ、カンボジアでは牛乳が「非日常」だった。ミルクといえば、缶入りのコンデンスミルクを指した。

名古屋大学とカンボジア王立農業大学との間に協力関係を築き、酪農指導者育成に取り組んだ。乳量の多いホルスタインと現地で使役に用いられる牛とをかけあわせ、暑い気候に耐え得る乳牛の育成にも挑んだ。

10年目にしてようやく、搾乳機や殺菌・冷蔵設備を備えた小さな実習施設が、現地の王立農業大学に完成した。そのときのうれしそうな様子を、計画を引き継いだ桑原正貴《まさよし》・東京大学教授は鮮やかに思い出せる。

亡くなる直前、前多さんは自身の「原点」ともいえる東大付属牧場での新しい仕事を楽しみにしていたという。机のメモにあった「作業用つなぎ」は、学生の指導で着る予定だったのだろう。

妻の束村《つかむら》博子・名古屋大学教授は「『農学は平和の学問。食が足りれば戦争はなくなる』が前多の口癖でした」と振り返る。

その志は残された人たちが引き継いだ。だが、あるじなき教授室の、前多さんの机だけは2年前から時が止まっている。日常の尊さとはかなさを痛感した。

当たり前のことが当たり前でなくなる日々に立ちすくむ今、思いはいっそう切実だ。

だからこそ、つながる

福井県敦賀市に住む澤村梨恵さんが、地元で「こども食堂」を始めたのはコロナ下だった。

澤村さんは農業で家計を支えながら、障害のあるお子さんを育てるシングルマザーだ。自分と同じように大変な思いをしている人たちとつながり、助け合える場があれば、と開設を決めた。

かつて森林組合の寮として使われていた空き部屋を無料で借りられた。調理器具や食器は不要品をあちこちから集めた。掃除も済み、さあこれから、というタイミングで新型コロナウイルスの流行が始まった。

人と人との接触をなるべく避ける、新しい生活様式が奨励された。それでも澤村さんはあきらめなかった。寄付された食材や野菜などを使って手作りした弁当を、一つ３００円で各家庭に届ける活動に切り替えた。

配達先は、子どもの不登校などで孤立しがちな家庭と、独り暮らしのお年寄りに限った。活動が口コミで広がり、配達先は１７０人に上る。

訪問を涙ながらに喜ぶ人、弁当を手に苦境を打ち明ける人、「わしが生きとることを知っとったんか」と、せきを切ったように話し始めるお年寄りもいる。

こども食堂は、さまざまな人が集まって食事を共にし、ひとときを過ごす場である。貧困家庭の子どもたちにとっては温かな食事にありつける機会。独りで留守番をする子どもにとっては、和やかな雰囲気が心の栄養となる。

「違う学年の子、大学生のお兄さんお姉さん、近所のおばちゃんやおじいちゃん。異なる年齢の人たちと関わる経験は、子どもにとって人生の財産になる。いわば、『サザエさん』一家のような食卓を地域の人々が囲む居場所です」

NPO「全国こども食堂支援センター・むすびえ」の理事長で社会活動家の湯浅誠さんは、こども食堂の役割をこう説明する。

むすびえの調査によると、その数は全都道府県に計７３６３カ所（２０２２年）。毎年調査するたびに１０００カ所以上増え続けている。「３密回避」で継続が危ぶまれたが、余った食材の配布や弁当持ち帰りなどに切り替えて半数が活動を続けた。

日本では子どもの７人に１人が、中間的な所得の半分に満たない家庭で暮らしている。主要

7カ国で見ても高い水準だ。ひとり親家庭の約半数は貧困状態にある、とのデータもある。こうした家庭に、新型コロナの影響はとりわけ深刻だ。仕事を失ったり収入が減ったりと厳しい日々に、ぶらりと立ち寄ってご飯を食べ、語り合ってつかの間、重荷を下ろせるこうした場が、どれほど救いになることか。その重要性は、コロナ禍だからこそ、高まっているのではないか。

思いは福井の澤村さんも同じだ。お弁当を通して顔を合わせる活動を、いずれは「居場所」作りにつなげたいという。

大変ですね、と言うと「この活動は私自身の居場所ですから」と、元気な声が返ってきた。

「まぜこぜ」な社会

奇妙奇天烈、奇想天外、奇々怪々、一度見ておけば、孫の代までの語り草。さぁさぁ。よってらっしゃい。見てらっしゃい。

妖しい口上に好奇心をくすぐられ、東京・渋谷に足を運んだ。

さまざまな特性を持つエンターテイナーたちでつくる一夜限りの舞台「月夜のからくりハウス」の開幕である。

身長114cmの「日本一小さい俳優」マメ山田さんが三輪車で登場。「ろう俳優」大橋ひろえさんが手話で健聴者とコメディーを繰り広げる。「両声類」歌手の悠以さんは男女の声を歌い分け、

２０１６年リオデジャネイロ・パラリンピックの閉会式に出演した「車椅子のダンサー」かんばらけんたさんは、即興のラップ音楽に合わせて力強く、しなやかに踊った。

存在感に圧倒された。自分の中に「無意識の偏見」があったことを認めざるをえなかった。彼らは「障害があっても」ではなく、「障害があるからこそ」の人生を生きている。

この個性的な集団は「まぜこぜ一座」と呼ばれている。俳優で社会活動家の東ちづるさんが、17年に旗揚げした。

キャストは東さん自身が決める。口コミやインターネットで情報を集め、その人の舞台があれば楽屋の外で「出待ち」してスカウトする。

障害がある人、性的少数者、難病や心の病と向き合う人など、生きづらさを抱えながらエンターテインメントの世界で活動している人たちを知ってほしいという。

「まぜこぜ」は、多様性を分かりやすく言い換える東さんの発案だ。代表を務める、多様性豊かな社会の実現を目指す団体「Ｇｅｔ　ｉｎ　ｔｏｕｃｈ」の合言葉でもある。

「原点は、まぜご飯なんです」と東さん。「具材の切り方も味付けもそれぞれ。エビは塩ゆで、シイタケは甘辛く。それを混ぜ合わせることでおいしくなる。生きづらい人たちにもそれぞれに配慮があれば、すべての人にとって居心地の良い社会になるでしょう？」

旗揚げ公演では、家族でチケットを買った後に「子どもには見せられない」とキャンセルした人がいた。「障害者を見せ物にするな」という批判もあった。

「私たちは見たい人も見たくない人も排除しない。だけど、障害をネガティブにとらえないといけない社会って？　これはみんなで考えなければいけないですよね」

空気は少しずつ変わり始めているという。3回目となる21年は限定２００席だったが、１枚２０００円のチケットが10分で売り切れた。

東京オリンピック・パラリンピック公式文化プログラムの一つを指揮することも決まった。「ＭＡＺＥＫＯＺＥアイランドツアー」と題し、さまざまな個性や特性のある人々が暮らす10の島を巡る物語だ。１時間半の映像作品を制作し、オンラインで世界に発信する。もちろんキャストは一座の面々である。

「見て楽しむのはもちろん、見終わってモヤモヤしてほしい」と東さんは言う。何にモヤモヤしているのか考えることで、無意識の偏見に気づいてほしい。

さぁ、よってらっしゃい。

自分らしく生きたい

さまざまな特性を持ったエンターテイナーが集う「まぜこぜ一座」の２０２１年3月公演で、私はミゼット（こびと）プロレスを初めて見た。低身長のレスラーがリング上で戦うこの演目は、１９６０年代から80年代にかけて人気を呼んだという。

始まりは、ある興行主が米国からこびとレスラーを招き「小人国プロレス大試合」と名付けて開催したイベントだ。全日本女子プロレスの特別プログラムとして定着し、テレビを通してお茶の間にも紹介された。

だが、女子プロレスブームが起きると、こびとプロレス人気に陰りが出始める。追い打ちをかけたのは「障害を見せ物にするのは不愉快だ」という苦情がテレビ局に寄せられたことだった。以来、こびとプロレスは「放送禁止」扱いになり、女子プロレスの中継では、こびと部分が削除された。

唐柔太、ミスター・ポーン、リトル・フランキー、天草海坊主ら、最盛期には10人近い個性的なレスラーが活躍したという。それが現在は2人にまで減っている。風前のともしびだ。

その1人、プリティ太田さんに会った。身長140㎝、体重49㎏、得意技は「真空投げ」。26歳でこの世界に入った。プロレスファンとして観戦していた会場でスカウトされた。

当時は中学3年生。家族は「プロレスなんて危ない」と反対した。だがあきらめきれず、10年かけて説きふせた。

リングネームは往年の人気レスラー、プリティ・アトムからもらった。入門の時点でレスラーは3人まで減っていた。

全盛期には年間300以上あったという出場機会も、今は年に数回。「プロレス一本で食う」夢は、かないそうにない。映画や舞台を含めて、オファーが来ればいつでも応じられるよう、深夜のアルバイトで生計を立てている。

身長が伸びないことに気づいたのは小学生の時だ。「軟骨低形成症」という先天性の病気が原因だった。体育の授業は同級生についていけない。学校の外では年下の子からも身長の低さをネタにいじめられた。

「小人症」と呼ばれる低身長の人々は多かれ少なかれ、太田さんのような体験をしている。好奇の視線にさらされる上、ハンディキャップから、働く機会も限られる。

しかし、低身長を他人にはない「個性」ととらえることも可能だ。その個性を生かして自分らしく生きることを、なぜ他人に制限されなければならないのかと、太田さんは納得がいかない。

「人前に出たくない人は出なければいい、見たくない人は見なければいい。でも、見なかった、知らなかったことにされると困るのです。生まれてきちゃったんだから」

プロレスが盛んなメキシコでは、こびとレスラーが活躍している。大柄なレスラーにはまねできない、機敏でコミカルな動きと圧倒的な存在感は、根強い人気がある。

社会における少数者のありようは、その国の文化を映す。見て見ぬふりをするのは、日本流の優しさかもしれない。でもその奥に「普通でない」存在への差別意識が潜んでいないか、見つめ直す必要がある。

「規制をぶっ壊して、こびとが活躍できる世界にしたい」という太田さんも、プロレスラーとして活躍できるのは、長くてあと10年だ。

知名度が低い現状では、後継者探しも難しい。「当たり前のことがなぜ日本ではできないのか。不思議な国ですよね」と、ため息をつくのだった。

座標軸を探す旅

テレビドラマ「北の国から」が放送開始40周年を迎えた。

都会育ちの小学生、純と螢が父親の五郎に連れられ、北海道・富良野の廃屋へ移り住む。厳しく美しい自然の中、懸命に生きる親子像を丁寧に描いた。

脚本家の倉本聰さんは39歳で東京を離れ、人生の半分以上を富良野で生きてきた。物語には、この地で体験したこと、出会った人々の生きざまが投影されている。

どういう思いを込めたのか知りたくて、森の中のアトリエに倉本さんを訪ねた。

「日本が急ぎ足で変わっていく中、人間としての座標軸を探したくて」書いたのだという。人が生きる上で大切なことは何か。許されないことは何か。文明は人を幸せにするのか。

ドラマが完結した後も、倉本さんは考え続けている。

戦後日本の発展を、倉本さんは「ジャパン」という名のスーパーカーに喩えた。「ただし、付け忘れたものが二つある。ブレーキとバックギアです。止まることも、過去を振り返ることもしない」

移住した当時の富良野は、こうした時代を迎える前の素朴さを残していたという。

自宅に通じる林道に大きな岩が埋まっていた。車が乗り上げて不便だと地元の青年に相談すると、青年はしばらく考えて、こう言った。「まず四方から岩の周りを掘る。丸太をテコにしてみれば、1日3㎝、10日で1mぐらいは動くべさ」

便利さとスピードを最優先する現代とは一線を画した人々の生き方、自然との向き合い方は、ドラマを書く上での背骨となった。

だが、その富良野も変わりつつある。

高齢化と過疎化が、いや応なく進む。世代交代とともに、先祖が開墾した農地を手放す人が増えた。市街地には住民の気配のない高級マンションができた。外国人が土地を買い、投資目的で建てたという。

「自然はお前らを死なない程度には十分毎年食わしてくれる。自然から頂戴しろ。そして謙虚に、つつましく生きろ」

「どうしても欲しいモンがあったら、自分で工夫してつくっていくンです。面倒くさかったら、それはたいして欲しくないってことです」

倉本さんが五郎のせりふに託した思いとは裏腹に、社会は前のめりに進んでいく。人々は自然から奪い、「たいして欲しくもない」モノを生み出し、それがやがて大量のごみとなって環境を壊す。

私が「北の国から」を初めて見たのは、大震災と原発事故が同時に起きた2011年だった。想定を上回る揺れと津波が、科学技術の粋を集めたシステムをたやすく壊した。文明のもろさを思い知る日々にあって、ドラマのメッセージは身にしみた。

追いうちをかけるように、世界はコロナ禍に見舞われた。豊かで便利な暮らしは小さなウイルスに振り回され、人々に緊張やきしみや分断を生んでいる。

こんなとき、私はまたあの物語に帰りたくなる。五郎さんなら、この時代をどう評してくれるのだろう。遠くの友人に手紙を書くように、問いかけたくなるのだ。

あったもの　なかったもの

２０２１年に世界文化遺産に登録された「垣ノ島遺跡」（北海道函館市）を訪ねた。縄文時代早期から約６０００年もの間、人々が暮らした集落や祭祀場の跡が保存・公開されている。道内唯一の国宝「中空土偶《ちゅうくう》」を含む展示物の中で最も強い印象を残したのは、「足形付土版《あしがたつきどばん》」と名付けられた史料だった。

手のひら大の素焼きの板に、小さな足の裏の形が指の一つ一つまで残る。６５００年前の墓から見つかった。大きさがまちまちなことから、幼くして死んだ子どもの形見として作られたと考えられている。

表に足形、裏に手形を押したものもある。押しつけるときについたのだろう、大人の指の跡も残る。小さな穴にひもを通してつり下げたり、持ち歩いたりした後、親が死んだ時にともに埋葬されたのかもしれない。

我が子のなきがらに寄り添い、手足を粘土板に押しつける様子を想像した。子を思う気持ちは今も昔も変わらないのだ。

根気を要する発掘作業の多くは、近隣の主婦たちが担った。坪井睦美さんは、足形付土版17

個を掘り出した一人だ。

「出産祝いに病院から頂く足形のようなものだと思って、『かわいいね』なんて皆で喜んでいたのです。形見と知って母親の切ない気持ちを思い、涙が出ました」

これがきっかけで坪井さんはもっと縄文文化を知りたくなり、40代半ばで大学受験資格を取った。通信教育課程を終え、学芸員の資格を得たのは57歳の時だ。

縄文の魅力を国内外の多くの人に発信する仕事に、一生をささげたいと語る。

「私はここで生まれここで死ぬ。この地で自然に寄り添い、命を大切にした縄文の人々の暮らしはとても身近です。私たちの暮らしの基盤は、縄文時代に既にあったと思うのです」

縄文時代、人々は集落を作って定住し、自然の素材で衣食住をまかなった。文字のない時代だが、土器や土偶、土版がそれに代わって人々の心のありようを物語る。

住居内に祭壇を設け、子が生まれると胎盤などの後産《あとざん》を家の中心に埋めて健やかな成長を祈った。祈らねばならないほど、人間は弱い存在だったのかもしれない。

生まれつき足が不自由な成人女性の骨も出土している。集落で助け合いながら暮らしていた様子もうかがえる。

貝塚を分析した資料によれば、当時の人々が口にした鳥や獣は60種以上、魚は70種以上、貝は350種類以上。クリやクルミなどの木の実、山菜やきのこも採っただろう。現代に勝るとも劣らない豊かな食生活である。

一方で、各地の遺跡や人骨から、大規模な戦いの跡は見つからないという。こうした状態が

1万年以上続いたのは世界史上でもまれだ。

縄文社会にあったものを書き出してみる。自然の恵みを頂く暮らし。家族と、共同体での助け合い。生命を尊び健康を祈る心。なかったものは、金属器、農耕、身分制度、集落を守る塀や囲い。そしていくさ。

自然から奪い尽くし、身の丈を超えたぜいたくを求め、他者への寛容さを失い、敵を作っていつまでも戦いをやめようとしない現代の私たちの姿は、彼らの目にどう映るだろう。

あかるく、かるく、やわらかく

私は2度、がんを経験している。いずれも検診で見つかり、切除手術を受けた。日本人の2人に1人ががんにかかる時代、患うこと自体は珍しくない。ましてサバイバー（生還者）と名乗るほどの経験もしていない。

ならばがんと縁が切れたかというと、違う。「二度あることは三度ある」と確信している。生き方も変わった。

「『いつか』は、やめる」と決めたのだ。したいこと、行きたい場所、会いたい人、伝えたい言葉。人生のいろいろな機会を「またいつか」と先送りしないことにした。死を身近に感じ、だからこそよりよく生きようと思うようになった。

彼女はどうだっただろう。2021年4月に亡くなったデザイナーの中島ナオさんは、「みんなでがんを治せる病気にする」という旗を高く掲げ、38年の生涯を駆け抜けた。

中島さんは31歳の時、乳がんと診断された。2年後には転移が見つかり、進行した状態を表すステージ4と宣告された。

治療と並行して取り組んだのが、がん患者の「人生の質」を高める活動だった。ブラジャーを着けずに着られるシャツや、頭髪をおしゃれに隠せる帽子を自らデザインし、通信販売を始めた。

寄付金を集め、がん治療に向けた研究を支援する社会運動も手がけた。36歳の時だ。

「デリートC」と名付けた。デリートは「削除する」、Cはがん（キャンサー、Cancer）の頭文字。協賛する企業は、商品名やブランドのロゴから「C」を消した限定商品を発売し、収益の一部を寄付する。消費者は商品を買う以外に、「C」を自分で消した画像をSNSに投稿したりシェアしたりして、楽しみながら参加できる。反響の大きさに応じて寄付金が増える。

一緒に運動を始めたプロデューサーの小国士朗さんは、カフェで中島さんから相談を受けた日のことを忘れない。

「わたし、がんを治せる病気にしたい」。がんという現実の厳しさをうまく避けながら付き合ってきた友人の決意表明に、小国さんは戸惑った。がんを治すのは医者や製薬会社や国の仕事だと思っていた。

でも、腹をくくった。「暗くて、重くて、かわいそう。がん患者のそんなイメージをひっくり返して、希望を持てる未来を一日も早くたぐり寄せたいという彼女の思いを一緒にかなえようと決めました」

がん患者で研究者の長井陽子さんと3人でNPOを設立した。集まった寄付金を研究者に託す2回目のイベントを終えた後、中島さんが逝った。6月には後を追うように長井さんもがんで旅立った。享年37。

小国さんは一人残された。がんを経験していない自分が運動を率いることに不安もあるが、応援してくれる企業や仲間がいる。「誰がいなくなっても活動が続くよう、価値観を全員で共有していいます」と語る。

それは中島さんが残した「あかるく、かるく、やわらかく」というモットーだ。がんは手ごわい。でも逃げられない。ならば前向きに、周りを巻き込んで軽やかに生きていく方がいい。

同感だ。皆がそう思う社会になれば、がんをめぐる景色は変わるだろう。

ひとりで生きるということ

6匹の猫に餌をやり、トイレの砂を替える。東京都内に住むフリーランス編集者、池田美樹さんの日課である。うち4匹は熊本市の実家で飼われていた老猫だ。

美樹さんが大学生の頃、1匹連れ帰ったのをきっかけに、両親は猫を飼い始めた。娘が就職して家を出た後も、身寄りのない猫を引き取ってはかわいがってきた。

ところが2020年夏、母親が認知症を発症して入院した。83歳だった。ひとり暮らしになった父親は半年後の正月に自宅で亡くなった。美樹さんが警察から連絡を受けた時には、死後1週間がたっていた。

父親は元日の朝刊を、線を引きながら丁寧に読んでいた。その後の朝刊は開かないまま積まれていた。

食卓には眼鏡と、飲みさしのコーヒー。冷蔵庫には手作りのスープやおかゆが1週間分以上保管されていた。「お父さんは最期まで生きようとしていた」と感じた。

肌身離さず持っていたかばんの中身を改めた。いちばん下から、幼いころの美樹さんの写真が見つかった。

親が老いていくことは知っている。でも、介護やみとりは、緩やかに訪れるものだと思い込んでいた。美樹さんは一人っ子で、独身だ。母は施設に暮らす。この先、悲しみや思い出を誰と語り合えばいいのか。

もっと一緒に過ごして思い出を作っておくんだった。正月に帰省していれば――。自責の念と孤独が押し寄せた。人の気配が消えた実家でひとり、声をあげて泣いた。

父の死後、月に1度のペースで熊本へ帰っている。築45年の家に風を通し、遺品を片付ける。フリーランスの仕事は収入が安定しない。帰省費用や実家の維持費を払う生活がいつまで続くのか分からず心細い。といって熊本に移住することも、今は難しい。

一方で、人の縁の尊さに気づいた。近所の人や地元の友人の気配りに助けられた。上京して

30年間、古里と距離を置いてきた自分を振り返り、ひとり老いていく未来を考えるようになった。

高齢者が誰にも見守られず自宅で亡くなるケースが増えている。「孤独死」「孤立死」などと呼ばれるが、東京23区だけでも年に3000人以上がこうした最期を迎えている。

ひとり暮らしの高齢者は全国に約680万人。誰にでも起きうる事態だ。親の孤独死、遠距離介護、空き家といった現代的な課題を一度に背負い込む美樹さんのようなケースは今後、増えていくだろう。そもそも、ひとり老いて死ぬことは「人さまに迷惑をかける」ことか。現状がそうなら、社会が変わる必要がある。

2021年、如月サラの筆名でネットに公開してきた体験記が共感を呼び、出版が決まった。書籍『父がひとりで死んでいた』（日経BP）で美樹さんは、施設で母親がつぶやいた一言を反すうし、自省する。

「生きているうちは、生きていかなくちゃね」

まずは、生きていこう。一周忌を済ませたら、古里で始める新しい仕事の準備に取りかかろう。美樹さんの中に、そんな気持ちがわいている。

「歩き出す冷たき頰に手を当てて」。取材の後、彼女が送ってくれた句である。

ひとごとでない認知症

アルツハイマー型認知症の新薬が話題を呼んでいる。

エーザイが米企業と共同開発した「レカネマブ」。米国での迅速承認に続いて、日本でも２０２３年9月、正式承認された。

さまざまな原因で脳の神経細胞の活動が低下し、記憶や学習などの認知機能が損なわれる状態を「認知症」と呼ぶ。国内には６００万人の認知症患者がおり、その7割をアルツハイマー型が占めるという。

いま、広く使われている薬は、残された神経細胞を活性化させるものだ。効き目に個人差がある上、進行を遅らせる以上のことは難しい。

これに対し、レカネマブは病気を起こすと考えられている異常なたんぱく質を除去するよう設計された。原因に直接働きかける薬は初めてで、認知症治療の「マイルストーン」(大きな節目)になると期待されている。

ところで、50代も半ばになると、「どんなふうに死にたいか」的な話題が増えてくる。

「痛い、苦しいのはイヤだね」

「長患いは迷惑をかけるから、ＰＰＫ(ピンピンコロリ)でしょう」

「突然死は勘弁。やるべきことをやってから死にたい」

まさに十人十色だが、共通しているのが「ボケたくない」というものだ。「ボケる」ことはすなわち、人間らしさを失うことだと考えられているからだろう。

認知症が忌み嫌われる理由は、そうした結末よりもむしろ、そこへ至る過程にある。

大半の人は、ある日突然認知症になるわけではない。知らず知らずのうちに下り坂をおり、振り返れば来た道を戻れなくなっているように、それまで当たり前にこなせていた作業が徐々にできなくなる。物忘れが度を越し、周囲に迷惑をかけ始める。その一つ一つが、自尊心を傷つける。

失敗する自分と、それを認めたくない自分とが葛藤し、受診をためらったり引きこもったりする。「認知症にだけはなりたくない」という世間の見方も災いし、当事者や家族は孤立していく。

新薬レカネマブは早期の検査と投与で効果が期待できるという。早く手を打つことで、選択肢は増える。

「25年には高齢者の5人に1人が認知症」という推計もある。100年人生の最終段階に、多くの人が向き合う病気と考えた方がいい。諦めや居直りではなく、自分や社会の認識を変えたい。

がんだって、かつては「死病」とみなされ、口にするのもはばかられた時代があった。高齢化とともに患者数は増え、研究も進んで「普通の病気」になった。

病気は社会のありようを映す。医学の進歩に合わせ、私たちも変わる必要があることは確かなようだ。

笑い合えたらいいね

レジの前ライン引かれて気が付けば等差数列みたいに並ぶ（横溝麻志穂さん、17歳）

視線落ち口にはマスク会話なく耳にはイヤホンまるで三猿（永井滉子さん、16歳）

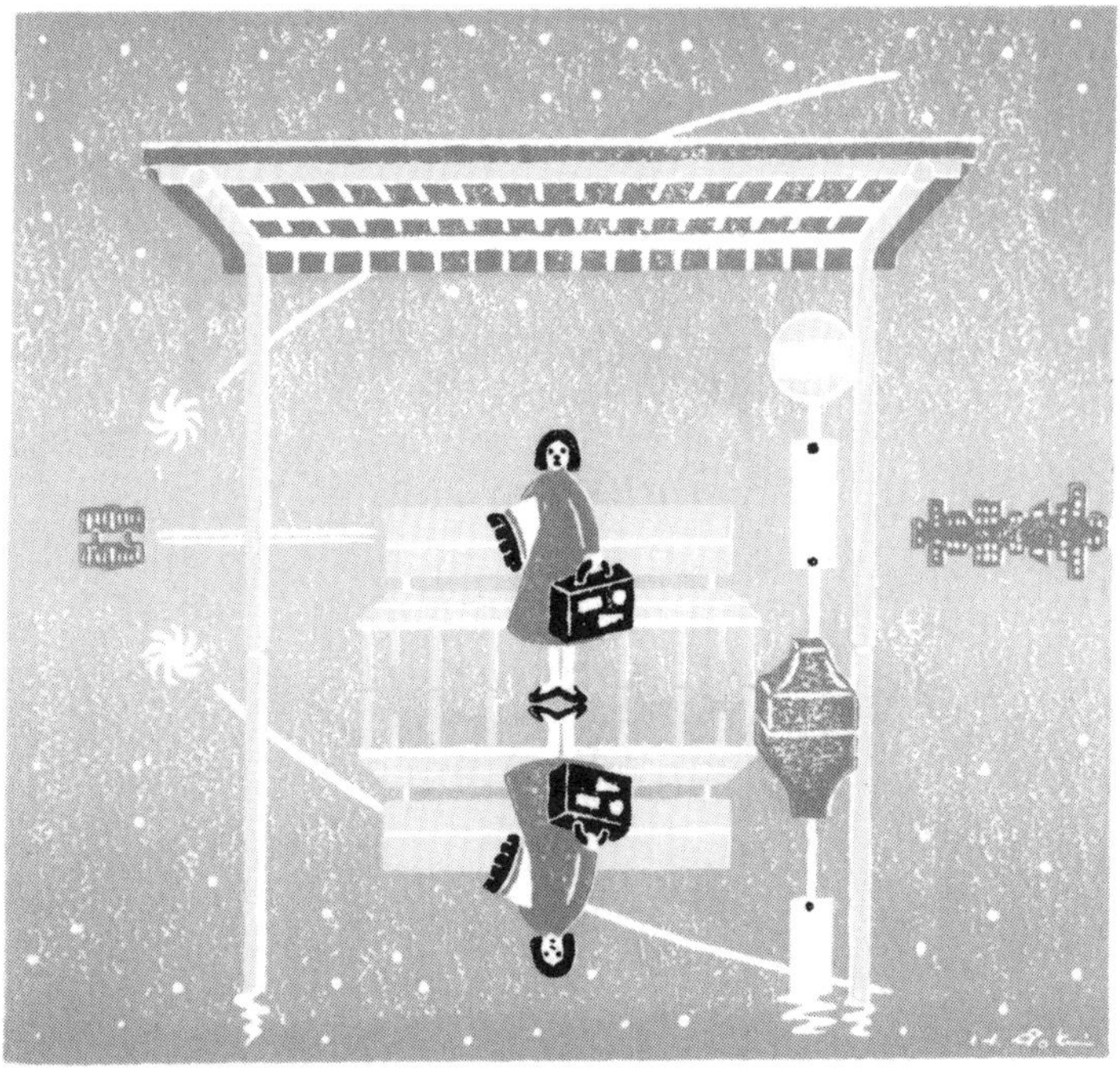

東洋大学が毎年編集している「現代学生百人一首」は、児童・生徒らが作った短歌から優れた100首を選ぶ。2022年は、過去最多の7万8000首余が寄せられた。新型コロナウイルス禍を生きる子どもたちの、心の声である。休校、オンライン授業、行事や大会の中止など、ままならないことの多い生活への閉塞感が伝わってくる。内省的な作品が多い中、喜びをまっすぐに表現した作品に私は引きつけられた。

音のない世界で私達手で話す画面ごしでも笑い合えてる

横浜市立ろう特別支援学校に通う平賀梨里穂さん＝高等部3年＝の歌だ。3歳のころ、聴覚障害があることが分かった。人工内耳を埋め込む手術を受け、補聴器も使って日常生活を送る。学校では、手話の習得に加えて健聴者と会話するための訓練が欠かせない。平賀さんはかつて、同級生と手話で話す様子を健聴者にからかわれた。障害を周りに気づかれないように、他人に迷惑をかけないように。中学まではそんな生徒だった。

卒業直前、コロナの流行が始まった。高等部に進んだが対面授業は見合わせとなり、郵送された課題に自宅で取り組む日が続いた。

「当たり前にあると思っていた友達との日常が、当たり前じゃなかった。だからビデオ通話を使って手話で話す時間が、とても幸せでした」

画面ごしに、相手の手の動きも表情も見える。おしゃべりに夢中になり、笑い転げ、気づいたら4時間がたっていた。その時の、弾んだ気持ちを31文字に込めた。

この2年間は、平賀さんを少し成長させた。ヒップホップダンスを習い始めた。健聴者と一緒にテンポを感じ、振り付けを覚えることが楽しい。初対面の人に「聴覚障害があるので、困ったときは助けてください。よろしくお願いします」と自己紹介できるようになった。

学校では生徒会長を務める。聴覚障害がある生徒は語彙が少なかったり、気持ちを手話でうまく表現できなかったりする。多様な障害を抱える友達の「言いたいこと」をくみ取り、意見をまとめる役割にも張り合いを感じている。

コロナ禍は、子どもたちからたくさんの機会を奪った。「給食時間におしゃべりする子がいるんだよ」と、小学3年になった私のめいが言う。入学この方、班ごとにまとまってにぎやかに食べる給食を一度も経験していないのだ。

けれど、選び抜かれた100首を眺めれば、子どもたちは本当に大切なものは何かを見つめ、考えていることが分かる。そのことに励まされる。

次はいつ会えるのかしらと泣く祖母の手も握れずにガラスと会話（大場美言さん、17歳）

休日に壁越しに聞く会議の声優しい父の上司の一面（鶴岡彩音さん、15歳）

今年こそ、みんなと笑い合えますように。

歌枕の記憶をつなぐ

東京・サントリー美術館で開かれた「歌枕」展を訪ねた。浮世絵、びょうぶ、着物、硯箱《すずりばこ》など、日本らしい意匠のそこここに、歌枕の定型美が潜んでいることを教えられた。

古来、和歌に繰り返し登場する名所を「歌枕」と呼ぶ。吉野山は桜、竜田川は紅葉、逢坂の関は男女のせつない恋といった具合に、特定の風物や心象とともに詠まれてきた。

人々の旅心もかき立てた。330年あまり前、松尾芭蕉が東北の歌枕を訪ね歩く旅に出たように。

和歌といえば学生時代、枕ことばだの掛けことばだの、まどろっこしい決まりごとにへきえきした記憶こそあれ、楽しむにはほど遠かった。展示会の副題も「あなたの知らない心の風景」とある。

日本に生まれながら、深く知らずに済ませてきたこの世界に関心が向いたのは、詩人で相模女子大学客員教授のピーター・J・マクミランさんが、歌枕に導かれて京都・嵯峨の小倉山へ移住した——と聞いたからだ。

アイルランドで生まれ育った。仕事を探して訪れた日本に拠点を定めて、30年以上になる。定住のきっかけは、小倉山のふもとで藤原定家が編んだとされる『小倉百人一首』との縁だった。

同じアイルランド出身で宮内庁の御用掛も務めた故・加藤アイリーンさんに勧められ、『百人一首』を英訳した。それが翻訳賞を受賞し、「日本にいていい、と許された気がした」と振り返る。

取材を兼ねて嵐山や嵯峨を歩いた時、竹林に囲まれたこの屋敷のたたずまいに強く引かれたという。「住んでみたい」と願い続けて15年、夢がかなった。風情はそのままに住み心地よく手を入れ、２０２1年春、東京から引っ越してきた。


牡鹿《おじか》なく小倉の山のすそ近みただ独りすむわが心かな

西行の歌のように、今も夜の散歩に出れば鹿に出くわすことがある。「あの鹿の子孫かもしれない。そう考えると、西行がいた時代と今とがつながっていることを感じます」

マクミランさんはいま、『万葉集』の全編英訳に挑んでいる。

防人《さきもり》から天皇まで、さまざまな階層の人々が詠んだ和歌４５００首あまりからなる「日本最古の歌集」。過去に何度か英訳されているが全訳は少なく、それも英語圏の人々にその魅力や文学的価値を伝えているとは言えない。

計画では、漢字で記された全ての歌を仮名に書き下し、現代語、さらに魅力的な英文の五行詩に翻訳する。背景や注釈も添え、英訳版の定本となることを目指す。歴史や日本文学者と連携し、10年かけて取り組む。

国内には、万葉集の歌碑が２３００もあるのだそうだ。これらの歌碑を通して受け継がれてきた歌枕の記憶も、放っておけば忘れられかねない。

マクミランさんが、その記憶をつなぐ役割を担う。「自然をめでる気持ち、恋愛、貧困や戦争、亡き人への思い。万葉集の歌は奈良時代以前の人々の暮らしの記録であり、現代でもまったく古びていません」

自宅で話を聞いている間も、竹がこすれてさらさらと鳴り、ウグイスのさえずりが降り注ぐ。時間が、1000年前に巻き戻されていく。

あんこが紡ぐ1世紀

愛知県を旅した折、初めて小倉トーストを食べた。

あんこと食パンを組み合わせた、名古屋の喫茶店では定番のメニューである。サクッとしたトーストの食感と、ぽってりとした小倉あん、その甘みとバターの塩気とが不思議と合う。

店を出てまもなく、「元祖小倉トースト」を掲げ、長机に菓子を並べて売る若い女性に出くわした。

「いま食べてきたばかりよ。元祖って?」

「曽祖母が考案したのです。今は閉店してしまった喫茶店を復活させたくて、私が作ったお菓子を売っています」

「満《ま》つ葉《ば》」と屋号が書かれた木の看板と、ひいおばあちゃんの笑顔の写真に興味がわいた。この和洋折衷スイーツは1921(大正10)年に誕生したという。

小倉トーストの母、西脇キミさん。どんなハイカラな女性だったのだろう。

喫茶「満つ葉」は名古屋の繁華街・広小路にあった。当時18歳、「広小路小町」と呼ばれた器量よしのキミさんが店を切り盛りし、旧制八高（現・名古屋大学）の学生たちで連日にぎわったという。

実家が製あん業を営んでおり、ぜんざいなどの甘味が主力だった。あるとき学生が、バタートーストをぜんざいに浸して食べているのを見て、キミさんはひらめいた。

あんこをトーストで挟んだものを「小倉トースト」と名付けてメニューに加えたところ評判となり、他店に広がっていった。

職業婦人のキミさんは、9人の子の母でもあった。「家事と育児は、8人いたお手伝いさんに任せ、店ではバーテンや職人を数人雇って経営に専念していました。明治生まれの女らしく、厳しく優しい母親でした」と、末っ子で三男の康之さん（84）は振り返る。

戦後、店を長男に譲った後も「死ぬまで働く」と、和服姿で90歳過ぎまで店に通った。そのキミさんも96歳で亡くなると、ほどなく店は看板を下ろした。

復活を決めたのは、キミさん亡き後に生まれたひ孫の横井梨々香さんである。大学で就職活動の時期にさしかかり、趣味で続けてきた菓子作りを仕事にしたいと考えるようになった。

一度も会ったことはないけれど、キミさんが守り抜いた「満つ葉」の屋号が気になってもいた。「私が後継ぎになる」と決めた。

カフェを開店するための資金集めとPRを兼ねて、手作りの菓子を各地のイベントで売り始めた。そこで知り合った人が、条件のいい空き物件や開店のノウハウを教えてくれる。

キミさんのレシピは残っていないが、手作りの甘酒で甘みを出した「発酵あんこ」を使い、小倉トーストやどら焼きを作る。

「試食しましたよ。まあまあだね。まだ若いことだし、たくさんの人から教わって、新しい満つ葉を育ててくれるでしょう」。康之さんは、孫の頑張りを見守る。

「あんこのおいしさを伝えたい。近所の人が集まるような、居心地のいいお店にしたいです」と梨々香さん。

明治、大正、昭和、平成、令和――。世紀を超えて夢は受け継がれた。梨々香さんは2023年秋、緑区に念願のカフェ「満つ葉」をオープンした。

「母」という舟に乗って

漢字は意地悪だ。「夢」に人偏がつけば「儚い」。「幸」の1画を取り去るだけで、正反対の「辛《つら》い」に変わる。

神奈川県に住む鳥居千香子さんの人生は2年前、高校1年だった長男、陽生《はるき》さんの発病を境に一変した。

突然、視野の中心が欠け、その周囲も濁って見えづらくなった。ミトコンドリアの遺伝子変異が原因で起きる難病と診断された。有効な治療法はない。左目の異変が右目にも及び、視力

は両目とも0・04以下に落ちた。

陽生さんにとって何よりつらかったのは、幼いころから打ち込んできた野球ができなくなったことだ。「甲子園で投げる」ことを目標に、スポーツ推薦で入学した強豪校。病気はその夢を奪った。

部活動だけでなく、クラスメートと同じように授業や試験を受けることも難しくなった。「治らない」と告げられた日、千香子さんは陽生さんにこう声をかけた。「どん底になっちゃったけど、これからは上を向くしかないよ」。陽生さんには父親がいない。代わりに自分がどっしり構えようと決めた。

だが、母親としては胸がつぶれる思いだった。この病気は母から子へと受け継がれ、主に男子に症状が現れる。

「夢にも色がつかなくなっちゃった」「昔会った人の顔が思い出せない」。できないことが日々増えていく陽生さんがふびんで、つい涙があふれた。向かい合って座る息子にさとられないよう、声を殺して泣いた。

同じ思いを、祖母も抱いていた。「陽生に奇跡が起きますように」とたびたび公園に出かけ、四つ葉のクローバーを見つけては孫に送り続けた。

やがて「奇跡」は起きた。

発病から約1年後、陽生さんはゴールボールと出合った。目隠しをして鈴の入ったボールを転がすように投げ合い、相手のゴールに入れるパラスポーツだ。野球ができなくなってからも陽生さんが部活を続け、自主トレに励んでいることを主治医が知り、勧めたのだ。

球技のセンスがある陽生さんはすぐに慣れ、初めての練習戦で日本代表選手を相手にゴールを決めた。才能を発掘する国の「J－STARプロジェクト」に応募し、強化選手候補の一人にも選ばれた。

「今まで見えていた世界は、はっきりとは見えないけれど、今見える世界の方が明るく鮮やかです」と陽生さんは言う。同じ障害のある仲間と出会ったこと。パラリンピック出場という新しい夢も。

千香子さんは「16歳で始まった陽生の第二の人生を支えたい。困難にぶつかったとき、弱音を吐ける相手は家族しかいないでしょうから」と語る。


母は／舟の一族だろうか。／こころもち傾いているのは／どんな荷物を／積みすぎているせいか。


吉野弘の詩「漢字喜遊曲」にこんな一節があった。命を産み育む「母」という仕事は、尊く、豊かで、時に切ない。

取材の時に見せてもらった写真は、目の見えない陽生さんが、家族に方向を教わりながら、笑顔でボートをこいでいる。

千香子さんの舟も、一人乗りではないだろう。傾いたり蛇行したりしながら、力強く進んでいくだろう。

女性リーダーが増えない国

アイビーリーグと呼ばれる米国の名門私立大に、女性学長が相次いで誕生している。着任予定を含め8大学中6大学のトップが女性になった。

日本では、4年制大学に109人の女性学長がいる(2022年5月現在)。女性比率は13・9%。とりわけ国立大が低い。明治以来150年の歴史がありながら、初めて女性が学長に就いたのは1997年になってからだ。

進出を阻むのは「男性中心の育成システム」とも呼ぶべき、古い慣行だという。

選考方法は大学によってさまざまだが、学長の多くは副学長か学部長から選ばれている。このポストの大半が男性なのだ。

3年がかりの調査研究を『女性学長はどうすれば増えるか』(東信堂)にまとめた山形大学の河野銀子教授(現・九州大学教授)は「ダイバーシティー(多様性)に向けた世界の流れについていけない現状は、未来にわたって不平等を再生産しかねない」と警鐘を鳴らす。

今や女性比率75%というアイビーリーグだって、94年まで「女性学長ゼロ」だった。変えようという意思があれば、状況は変えられるはずだ。

残念ながら日本の現実は「機会平等、結果不平等」といえる。

ある女性教授が学長選に立候補した。きっかけは、教授会で女性教員を増やす提案を否定する発言を耳にしたことだった。少子化が進み、大学にも国際化や多様性確保が求められる時代に「現状維持」では生き残れない。トップ層の危機感が薄い現状に一石を投じようと決めた。

国内外で経験を積み、この大学に来て20年になる。講義はもちろん学内での役職も積極的に引き受けた。海外での研究、学会活動、政府の仕事や地域活動にも手を抜かず取り組んできた。分厚い業績書を作り、多様な視点から練り上げたマニフェスト（公約集）とともに学内に公開した。

結果は4候補中最下位。決選投票に残ったのは男性副学長2人だった。「投票権を持つ人たちは『何もしない、何も変えない』ことを選びました」と彼女は振り返る。

女性はリーダーに向かないか。世界の常識はむしろ逆だ。

日本を含む13カ国、6万4000人の意識を分析し「世界を変えるのは、女性と『女性のように考える』『男性である』」と結論づけた調査がある。

対象者の半数には、個性を表す125の言葉を「男性的」「女性的」「どちらでもない」に分類してもらった。残る半数の人には、分類前のリストから理想のリーダーの資質と一致する言葉を選んでもらった。

「柔軟」「利他的」「共感力」「忍耐強い」「表現力」など、リーダーに求められる10の資質が抽出された。そして、これらは全て「女性的」に分類されたものだった。

ニュージーランドのジャシンダ・アーダン前首相を思い出す。コロナ禍でロックダウンを決断し、経済より人命を守る姿勢を打ち出した。「強く、お互いに優しく」。誰もが先の見えない不安に直面する中、普段着で呼びかける肉声が共感を呼んだ。

どんなリーダーを選ぶかで未来は変わる。女性を選ばない国は、未来の選択肢を半分、放棄していることにほかならない。

残されゆくもの

数えるほどしか会っていないのに、強い印象を残す人がいる。医師の長《ちょう》純一さんは、そんな一人だ。

ある会合で「丙午《ひのえうま》で左利き」と自己紹介した私に近づいてきて「私も丙午、左利きです」と、人なつこい笑顔を見せたのが、長さんとの出会いだった。

「農村医学の父」若月俊一氏の薫陶を受け、山あいの診療所で経験を積んだ。東日本大震災の後、医療支援で宮城県石巻市を訪れたことが転機となり翌年、移住。仮設住宅の診療所で働いている――。

興味がわき「いずれ取材に行きますね」と言ったのだが、実現しなかった。長さんが2022年、56年の生涯を閉じたためだ。

せめて彼が残したものを知りたくて、石巻を訪ねた。

「炎のような情熱を持った男でしたね」と、長さんを石巻に迎えた医師、伊勢秀雄さんは言う。

院長を務める石巻市立病院が津波で全壊、在籍する医師のほとんどが退職した。地域医療が崩壊の危機にある中、「ここで働きたいという医者がいる」と聞き、長さんのために新たなポストを用意した。

そのポストとは、被災地で最大規模の仮設住宅団地に開設された診療所の所長。4600人の住民は抽選で入居したため、大半が震災前の人間関係を断ち切られた状態だった。不眠を訴える人、引きこもり孤立する人。認知症やアルコール依存症も少なくなかった。

長さんは医療・福祉の混成チームを結成し、訪問診療を始めた。コミュニティー作りにも心を砕いた。

「祭りや芋煮会に来ては踊ったり歌ったり、医者らしからぬ人。携帯電話の番号を教えてくれて、24時間365日、いつでも電話くださいって言うんだ。すごいよ」。仮設住宅の自治会を束ねた山崎信哉さんは、長さんを「平成の赤ひげ」と呼ぶ。

そんな生きざまに共鳴し、応援に来た医師や看護師らは、延べ300人に上った。

「患者さんたちから聞くのは『話を聞いてくれた』『触れてくれた』『家に来てくれた』。彼が目指したのは、科学やデータ偏重の医療が置き去りにした価値に、もう一度光を当てることだったのかもしれません」。妻の明子さんは振り返る。

しかし、復興住宅が建ち診療所が役目を終える頃から、長さんの夢は足踏みし始めた。

住民と医療と福祉が垣根を越えて地域を支える「地域包括ケア」は、人手不足や意識の壁に阻まれ思うように進まない。「いのちを大事にする」政治を掲げて市長選、知事選に出馬し、落選した。

小さなクリニックの経営を任されたが、「患者に丁寧に向き合うほど赤字になる」というジレンマに苦しんだ。そんな折、末期の膵臓《すいぞう》がんが見つかった。

最期は自宅で迎えた。「死ぬことは怖くないが、やり残したことがたくさんある」と病床で涙ぐんだ。50歳を過ぎて授かった娘に「星になって見守っているよ」と告げ、眠るように旅立った。

あの日、津波と火災にのみ込まれた海沿いの区域は公園に姿を変え、仮設住宅や診療所も今はない。「復興」とは、土地の記憶を消し去ることなのかもしれない。

それでも、人々に受け継がれる記憶がある。そのことに私は励まされる。

おわりに

この本は、２０１９年から現在まで、新聞や雑誌に書いてきた文章をまとめたものです。ご覧のようにテーマはいろいろです。

世の中のできごとを自分なりに咀嚼《そしゃく》して、浮かんできたものをコラムやエッセーにつづってきました。「科学記者」の看板を背負って20年以上がたちますが、ここまでバラバラでは看板倒れでしょう。これからは「雑食系科学記者」と改めます。

そうはいっても、テーマを眺めるうち、自分の中の「ものさし」が見えてきます。

どうやら、大きくて華やかなものよりも、小さくてささやかなものが好きみたいです。

大きくて華やかなものは耳目を集めますが、周りをいやおうなく巻き込みます。科学・技術においても、派手なゴールを設定して巨額のお金を集中的に突っ込むようなプロジェクトが結果として、細々と続いてきた他の分野に深い傷を残す例を見てきました。

「大きいことはいいことだ」というテレビコマーシャルが流行した時代があったように、人々の意識は時代の空気を映します。

20世紀は「科学の世紀」でした。原子の力がエネルギーを生み出し、コンピューターが発明され、抗生物質が人々の寿命を飛躍的に延ばしました。一方で、野放図な開発が自然を破壊し、地球温暖化が暮らしを大きく変えようとしています。

こうした「負の遺産」を社会課題ととらえ、解決を目指して小さい範囲で動き始める人たちが現れたのが、私たちが生きている21世紀です。

VUCA《ブーカ》（変化が速く、不確かで、複雑で、曖昧な）の時代にあっても、足元をしっかりと見つめて、やるべきことをやる。岩の隙間からしみ出した一滴の水がやがて大河となるように、小さな個々の営みが集まれば流れとなり、状況をよい方向へ変えていくはずです。そういう人たちに勇気をもらいながら、私は文章を書いています。

今回、イラストを担当してくださった羅久井ハナさんとは、18年に出版した『科学のミカタ』がきっかけでお付き合いが始まりました。小さい人や動物を生き生きと描く彼女の世界観が大好きで、翌年にスタートした連載「スベカラクカガク」や「窓をあけて」でもイラストをお願いしました。

こんなことを書こうかなあ……という私のメールから羅久井さんがイメージを膨らませ、テーマと絶妙につながる作品が生まれました。足かけ4年の共同作業は、私の想像力を大いに刺激してくれました。

本書の誕生に手を尽くしてくれた、毎日新聞出版の藤江千恵子さんにも、お礼を申し上げます。

２０２３年11月

元村有希子

VUCA　V（Volatility：変動性）、U（Uncertainty：不確実性）、C（Complexity：複雑性）、A（Ambiguity：曖昧性）

【著者略歴】

1966年生まれ。九州大学教育学部卒業。1989年毎日新聞社入社。科学環境部に配属され、2017年に科学環境部長、19年から論説委員。2006年第1回科学ジャーナリスト大賞受賞。科学コミュニケーション活動に力を入れ、富山大学、国際基督教大学などで教壇に立つ。大学で取得した教員免許は「国語」。著書に『理系思考』『気になる科学』『科学のミカタ』『科学のトリセツ』(いずれも毎日新聞出版)『カガク力を強くする!』(岩波ジュニア新書)など。

【初出】

本書は「窓をあけて」(「毎日新聞」2019年4月～2023年3月掲載)
「スベカラクカガク」(「SIGNATURE」2019年5月～2022年7月)
「科学のトリセツ」(「サンデー毎日」2022年3月～2023年4月)
から抜粋し、加筆再構成したものです。年齢は掲載時のものです。

科《か》学《がく》目《め》線《せん》 上《うえ》から、下《した》から、ナナメから

印　刷　2023年12月20日

発　行　2024年1月5日

著　者　元村《もとむら》有《ゆ》希《き》子《こ》

発行人　小島明日奈

発行所　毎日新聞出版
〒102-0074 東京都千代田区九段南1-6-17
千代田会館5階
営業本部　03-6265-6941
図書編集部　03-6265-6745

印刷・製本　中央精版印刷

ISBN978-4-620-32796-9